D1063251

L'Épi Plage

Frederic Mauch

L'Épi Plage

Une saga tropézienne

Pygmalion

Pour plus d'informations sur nos parutions,
suivez-nous sur Facebook, Instagram et Twitter.
https://www.editions-pygmalion.fr/

ISBN : 978-2-7564-2988-5

À Wolfgang, mon père, dont la vision, la passion
et la détermination m'ont inspiré
pour écrire cette histoire.
À mes fils, Maceo et Thassilo,
qui y trouveront peut-être à leur tour
une inspiration.
Et à l'Épi Plage, qui m'a donné
toutes ces années de bonheur.

PROLOGUE

Septembre 1959. Le calme règne sur la plage de Pampelonne. Le soleil d'arrière-saison, encore chaud, finit de mûrir les grappes de mourvèdre et de cinsault qui poussent sur la terre aride de Provence jusqu'au pied de la plage. On n'entend rien d'autre que le souffle léger de la brise dans les grands pins et le bruit mouillé des vaguelettes léchant le rivage. Pas une construction à l'horizon. Du haut de la dune, le regard porte sur une mer bleue à l'infini que borde un croissant de sable blanc. Plus de quatre kilomètres de plage encore vierge entre le cap Camarat et le cap de Saint-Tropez. Un paradis où ne mène aucune route, petit coin secret connu uniquement par les jeunes gens de la région qui s'aventurent jusque-là en quête d'un peu de tranquillité.

Je ne suis pas encore née sur ce coin de plage désert où, quinze ans plus tôt, les 14 et 15 août 1944, la force Alpha de l'armée US et la première division blindée française ont débarqué. Là où, des siècles auparavant, accostaient les pirates maures venus razzier esclaves et odalisques pour les harems. Là où, surtout, Brigitte Bardot a accédé au rang de symbole sexuel absolu quatre ans plus tôt en tournant *Et Dieu... créa la femme*.

En ce début d'après-midi de septembre 1959, le calme est soudain troublé. Des rires, des cris. Un homme apparaît, casquette de marin et chemise largement ouverte. Il plisse les yeux, admire la plage sauvage. Le calme, l'isolement, l'intensité des couleurs, bleu de la mer, blanc du sable, vert des pins lui renvoient l'image d'une île déserte comme un paradis perdu. « Ce sera ici ! » lance Jean Castel, exalté et légèrement assommé par le soleil ardent de cet été indien. Tony Andal – acteur en vogue à l'époque – apparaît à ses côtés, en caleçon, valise à la main, et plante dans la dune le parapluie qu'il porte malgré le ciel uniformément bleu. En retrait, un troisième homme observe, haute silhouette au crâne dégarni et aux grandes oreilles.

Cette nouvelle colonie qu'envisage Castel, c'est moi. Un lieu dédié à la fête, dans la lignée de l'Épi Club de Paris, ma cousine parisienne. Son nom reflète la curieuse combinaison qui l'a vue naître : l'union d'une boîte de nuit et d'une épicerie.

J'hérite de la même appellation, Épi, que je préfère associer à ma position privilégiée à l'épicentre de la plage de Pampelonne : Épi Plage. Ce sera désormais mon nom, et avec moi tout va changer à Saint-Tropez. Et pas seulement là : ceux qui me fréquentent verront leur chemin de vie affecté, dévié, propulsé ou bouleversé.

Depuis ma naissance, j'ai connu plusieurs vies au gré de mes propriétaires successifs. On m'a copiée, d'autres plages m'ont rejointe, ont changé selon les modes. Moi, je suis immuable, toujours là en ce printemps 2018 – certes un peu vieillissante, mais fidèle à ma jeunesse.

1

Avant l'Épi… l'Épi

La haute silhouette dégarnie en retrait sur la dune était celle d'Albert Debarge, l'un de mes deux papas, avec Castel.

C'est Castel qui m'imagine, mais c'est Debarge qui rendra mon existence possible et qui assurera mon développement jusqu'en 1972. Les deux quadragénaires ont des parcours en apparence antagonistes : l'un riche bourgeois, homme d'affaires à qui tout réussit, propriétaire d'un laboratoire pharmaceutique ; l'autre, touche-à-tout enthousiaste, riche uniquement de ses amis, fêtard invétéré, roi des nuits parisiennes. Debarge le notable est sérieux, rigoureux, calme, structuré, un peu froid. Castel, bohème aux poches percées, mille idées à la seconde, est jovial, sociable et spontané. C'est l'eau et le feu, ou plutôt la mèche et l'allumette : leur association va tout faire exploser.

Mes deux géniteurs ont pourtant bien des points communs. Dans leurs domaines respectifs, ce sont des entrepreneurs toujours à l'affût d'une bonne idée, tournés vers l'avenir, excités par l'innovation et par les projets hors-normes. Ces deux personnalités contrastées se sont rencontrées au milieu des années 1950. Réunis par leur passion commune pour la voile, ils ont appris à s'apprécier autour d'un whisky, dans les salons feutrés du Yacht-Club de Paris.

Le parcours d'Albert Debarge est à cette époque une vraie *success story.*

Né en 1916, docteur en pharmacie, il crée un laboratoire florissant. Pendant la guerre, son associé est déporté et dépouillé de ses biens par les lois antisémites de Vichy. La paix revenue, loyal, il lui restitue ses parts et les bénéfices qui vont avec. Debarge s'est engagé et a combattu dans la Résistance. Après la guerre, il poursuit des travaux de recherche sur l'absorption des drogues sous forme de suppositoire et s'associe avec le propriétaire des laboratoires Toraude – Jean Roux-Delimal – et un publicitaire – Pierre Broch. En 1949, il met sur le marché un sirop antitussif, le Bronchotonine, qui va asseoir le succès du laboratoire. Ils sont désormais trois associés, mais c'est Debarge qui se montre le plus brillant, tant au niveau financier que dans le domaine du marketing et du développement produit. Les lancements de nouveaux médicaments se succèdent et l'entreprise prospère toujours davantage, ouvrant même des succursales à l'étranger.

Albert Debarge fait partie de la grande bourgeoisie de la France de ces années d'après-guerre, un notable respectable qui porte costume trois-pièces et feutre mou. L'été, il emmène sa femme et ses quatre garçons alors adolescents sur la Côte d'Azur. Ils descendent à l'hôtel de La Ponche, dans ce Saint-Tropez qui reste un petit village de pêcheurs tranquille, peu fréquenté par les touristes, si ce n'est quelques intellectuels et artistes qui apprécient son calme, loin de l'agitation mondaine de Cannes et de Monte-Carlo.

Scientifique reconnu, businessman avisé, Debarge est aussi un marin accompli qui aime tirer des bords sur les eaux bleues de la Méditerranée. Sous ses dehors placides l'homme est un compétiteur né, le *yachtman* devient donc vite régatier, et pas à bord de n'importe quel bateau : il choisit une discipline mythique, le Star. Des dériveurs légers, hypertoilés, aussi sportifs dans la brise que techniques par petit temps. Rapidement, cela devient une passion envahissante.

L'année 1957 est exceptionnelle pour Albert Debarge. Les laboratoires Toraude sont introduits en bourse : à quarante et un ans, il devient immensément riche. Le succès assuré dans les affaires, il part en quête de gloire dans d'autres domaines, s'engageant toujours plus loin dans des exploits à la limite du possible et de la folie. Pour 1957, ce sera le Star. Debarge sait s'entourer des meilleurs. Il recrute Paul Elvstrøm, triple médaillé aux JO, pour disputer à ses côtés le championnat du monde de la discipline à Cuba.

L'île est alors en pleine révolution castriste. Che Guevara – qui n'est pas encore une icône pop – se bat dans les montagnes tandis qu'on s'encanaille à La Havane dans une ambiance décadente de fin de règne. Le surnom de l'île – « le bordel des USA » – n'était pas totalement usurpé. Dans les hôtels de luxe tenus par la pègre de Miami comme le mythique Coronado où descendait Kennedy, on offre des call-girls aux meilleurs clients. Cuba compte officiellement quarante mille prostituées et abrite le plus grand cabaret à ciel ouvert du monde, le Tropicana, où tout est permis, ou presque. L'alcool coule à flots et il suffit de claquer des doigts pour se faire servir de la cocaïne.

Dans la moiteur des nuits tropicales, Debarge découvre un monde qui le fascine. Et le matin, il assure. À bord de *Candide*, son Star battant pavillon français, il monte sur la deuxième marche du podium, talonnant les Américains du *North Star III*. C'est le seul non-américain parmi les cinq premiers.

Il revient de Cuba avec une médaille d'argent, une prouesse. Et pourtant, Debarge n'est pas totalement satisfait. C'est la médaille d'or qu'il exige toujours de lui-même.

À son retour, sa vie de famille très rangée lui pèse de plus en plus. Aucun désir de retrouver femme et enfants dans sa vaste demeure des beaux quartiers. Il laisse peu à peu émerger sa face sombre et festive, avec la nuit en toile de fond. Hanté par les horreurs de la guerre dont il a été témoin, las de son existence de notable, il va employer une énergie féroce et destructrice pour se créer une vie à la dimension de ses rêves. Sans doute des blessures ont fait naître une envie insatiable de vengeance, vis-à-vis des femmes, de la société, de son passé. Le monde de la nuit et les exploits démesurés – qu'ils soient sportifs, professionnels ou mondains –, Debarge s'y engage, il les affronte tous, partout. Il veut vivre intensément ses passions, même si elles côtoient toujours de plus près le chaos.

C'est à ce moment qu'il se rapproche de mon second père, Jean Castel. Un original, lui aussi... Né en 1916, comme Debarge, ce navigateur passionné qui a participé aux Jeux olympiques de Londres – il a fini dernier – rêve de faire exploser les limites de sa vie. Quelques années plus tôt, il a hésité à tout quitter pour partir à l'aventure sur son voilier. Mais il n'est pas fait pour la solitude. Outre la voile, Castel a une passion : les copains. C'est un costaud, un sportif plein d'enthousiasme, 90 kg de muscles, champion de France de rugby avec le CASG avant-guerre, joueur au Racing Club de France. Il aime les troisièmes mi-temps, la fête innocente, drôle, joyeuse, arrosée, entre amis. Les copains et les projets professionnels passent en premier, avant même la famille. C'est avec des amis ou de simples connaissances de comptoir qu'il passe l'essentiel de son temps, ne séparant pas son activité professionnelle de sa vie amicale et de ses nuits festives.

Castel s'est essayé à plusieurs métiers, dans la peinture, la publicité ou la vente de stylos. Mais c'est le monde nocturne qui lui plaît. Car, finalement, le business ne l'intéresse pas vraiment. La comptabilité, le chiffre d'affaires, la gestion du cash, ça n'est pas son truc. Alors, il s'investit dans la restauration et la nuit et peut désormais se consacrer à ce qui le fait vibrer, c'est là qu'il excelle. Et Castel est un maître dès lors qu'il s'agit de réunir les gens. Il est doté d'un magnétisme, d'une séduction qui attirent, mettent tout de suite à l'aise ses interlocuteurs, de sorte que ceux-ci s'autorisent à lâcher prise, à s'amuser sincèrement, librement.

Au milieu des années 1950, Castel fait beaucoup la fête et commence à s'impliquer dans la gestion et l'animation d'établissements comme la Discothèque, le Milord ou le Whisky à gogo. Il tient aussi une première table ouverte dans un immeuble au cœur de Paris. Cette cousine lointaine et un peu oubliée aujourd'hui, certains se rappellent qu'elle était située au premier étage et qu'il n'y avait qu'une douzaine de places. Modeste affaire, elle connaît un grand succès, car on y croise nombre de personnalités dans une ambiance décontractée, arty et jazzy, conviviale et joyeuse. Déjà la marque de fabrique de Castel : un club où il faut être parrainé.

Fort de cette première réussite, Castel ambitionne d'aller plus loin. Il veut se lancer dans le monde de la nuit et tout réinventer en créant un lieu regroupant des gens venus d'horizons éclectiques, mais ayant en commun la courtoisie, la classe et la simplicité – et tout cela dans un esprit festif, créatif, décalé-chic.

À force de parler embruns, coques ou voiles et de trinquer à Neptune et à Éole, Castel et Debarge ont fini par s'apprécier. Ils partagent ce goût des horizons lointains et étouffent tous les deux dans la société corsetée des années 1950. Ils ont besoin d'air. Homme d'affaires avisé, Debarge a vite repéré le talent d'organisateur et les idées novatrices de Castel. Il aime son énergie, sa gentillesse et sa vision bouillonnante qui peut révolutionner la manière de faire la fête. Castel, lui, a compris que le monde de la nuit excitait Debarge et qu'il avait les moyens et l'ambition de financer ses rêves... Les deux hommes s'entendent et une première affaire naît rapidement. Comme il l'avait fait en Star avec Elvstrøm, Debarge a choisi son coéquipier pour gagner. Quant à Castel, il a senti le vent et sait tirer les bons bords.

L'Épi Club est le premier projet lancé par Castel que finance Debarge.

Jean Castel et sa première femme, Lotte, se chargent des lieux, un ancien cabaret en fin de parcours, le Schubert. Situé boulevard du Montparnasse, il se compose d'une petite épicerie en rez-de-chaussée où l'on peut se fournir en saucisson, poulet, foie gras, caviar, carotte ou champagne, et d'une boîte de jazz en sous-sol. Ce mélange des genres préfigure aussi bien Chez Castel que l'Épi Plage. La formule insolite connaît un immense succès. Le Tout-Paris vient y danser et, tard dans la nuit, parfois au petit matin, on fait provision en partant de quelques bouteilles de champagne et de mets délicats pour finir chez les uns ou les autres.

Dans le sous-sol enfumé – comme il est d'usage à l'époque –, on rit, on boit, on drague, toujours avec classe. À l'Épi Club, on est ancré dans les *fifties* plutôt que dans les *sixties* qui s'annoncent. Les convives sont tous élégants, costumes sombres ou smokings pour les hommes, robes de soirée pour les dames. On boit du whisky et du cognac. Au sous-sol, les musiciens américains et français se produisent devant un public de passionnés, qui assiste à d'intenses bœufs de jazz, de blues et de rock naissant. La France découvre alors ces sons venus des États-Unis, le *rythm and blues*, la *soul music*, des chanteurs comme James Brown et Otis Redding.

Tout ce que Paris compte de vedettes se retrouve à l'Épi Club. On y croise Vadim noyant son chagrin dans le whisky après avoir vu Bardot sortir de chez elle avec le nouvel homme de sa vie, Jean-Louis Trintignant. Devant lui, les deux sœurs Françoise Dorléac et Catherine Deneuve se déhanchent sur la piste. Sacha Distel, vedette incontournable de la fin de ces années 1950, y joue régulièrement. Jean-Pierre Cassel, Claude Brasseur, Annabel Buffet, César ou Dalí sont des habitués. Ils y côtoient des stars internationales comme Ingrid Bergman, Anthony Perkins et Yul Brynner qui tournent à l'Épi Club une scène du film *Aimez-vous Brahms…*, tiré d'une nouvelle de Françoise Sagan, autre pilier des lieux.

Assis à une table, toujours la même, Debarge observe. Timide, il reste en retrait, mais du fait de sa personnalité autoritaire et charismatique, il ne passe pas inaperçu. Peu de gens osent encore l'approcher. Son air sérieux en intimide plus d'un.

Il n'y a pas que des vedettes à l'Épi. Ce n'est pas la notoriété qui ouvre les portes du club, mais le sens de la fête et du partage. Tout autant que les célébrités, des anonymes deviennent aussi des piliers de la boîte la plus courue de Paris, comme Nelly S., strip-teaseuse au Crazy Horse, qui vient y danser chaque soir après sa revue. En 1958, elle a 24 ans. C'est une beauté solaire. Parents immigrés d'Europe de l'Est, elle a vécu la guerre dans le dénuement des familles pauvres, courant les rues avec des galoches aux pieds qui la blessent au point de nécessiter une amputation des orteils. Après-guerre, la jeune fille se passionne pour le jazz. À 16 ans, elle fréquente le caveau de la Huchette, un *jazz club* au sous-sol d'un immeuble du XVIe siècle, en plein quartier latin, où le mouvement prend son essor. Quelques années plus tard, à l'Épi, sa passion du jazz et sa façon de croquer la vie séduisent Castel qui l'accueille à l'égal de Bardot ou de Deneuve, et le club devient son QG.

Ainsi, au rythme du jazz et des premiers rocks, le succès est total, le melting-pot social et culturel prend. L'Épi mêle jeunes et moins jeunes, riches et pauvres, célèbres et anonymes autour d'un objectif commun : s'amuser. Bientôt, je les recevrai tous pour poursuivre la fête au bord de la Méditerranée…

Le succès de l'Épi Club donne des ailes à Castel qui achète avec l'aide de Debarge un immeuble rue Princesse, où il ouvrira plus tard le mythique Chez Castel. Mais pour le moment, c'est un autre projet qui les anime. En bons businessmen, Debarge et Castel se sont aperçus que leur clientèle désertait Paris en été et que l'Épi Club se vidait… Dans les conversations un endroit revenait de plus en plus souvent, depuis le scandaleux succès de *Et Dieu… créa la femme* : Saint-Tropez, Saint-Trop', Saint-Tropèze – on ne savait pas bien comment prononcer ce nom peu familier. Le Commandant – comme on surnommait Castel – comprend que le vent est propice pour mettre les voiles vers la presqu'île tropézienne.

Il en parle à Debarge qui continue d'être discret, voire reclus à sa table de l'Épi Club. On le voit encore rire et sourire, mais de plus en plus rarement. Il mène de front et brillamment plusieurs projets d'envergure.

Sur le plan sportif, il continue à tenir le haut de l'affiche : à Lisbonne, son *Candide* termine sur la deuxième marche du podium des European Star Championships de 1958. Professionnellement, les laboratoires Toraude sont en pleine expansion, armée par leur introduction en Bourse et alimentée par la sortie de nouveaux médicaments. L'entreprise est prospère et exporte avec succès. Mais cela ne suffit pas à Debarge, qui a besoin de nouveaux défis pour se sentir vivre.

Habité du désir d'être au cœur de la vie mondaine, doté désormais de moyens financiers presque illimités, il n'hésite pas quand Castel lui expose son projet grandiose d'exporter l'Épi sur la Côte d'Azur. D'autant que Debarge a déjà ses habitudes à l'hôtel de La Ponche et qu'en cette année 1959, fort de ses succès dans tout ce qu'il touche, il voit grand, très grand... La démesure elle-même ne lui fait pas peur : il fait construire dans un chantier naval de Cascais, au Portugal, le plus grand Star jamais mis à l'eau. Les lignes sont exactement celles de la classe mais les dimensions sont triplées. C'est *Attila le triple Star*, dont le nom dit tout. Un véritable exploit d'architecture navale : 20 mètres de long, un mât en bois de 30 mètres, plus de 4,5 mètres de large. Les surfaces sont propulsées au carré et les volumes au cube. *Attila* est imbattable, mais sa démesure était aussi son talon d'Achille : en bordant la voile, la coque vrille sous la poussée du vent et sa puissance le rend incontrôlable aux allures portantes...

Transporter l'Épi à Saint-Tropez suivant l'intuition de Castel, propulser le club mythique de Paris à une autre dimension, ouvrir nuit et jour dans un endroit magique un lieu dédié à la fête, voilà un projet qui n'effraye pas Debarge. Tout est réuni pour que je naisse !

2

Et Castel créa l'Épi Plage

Même si en 1959 Saint-Tropez commence à être en vogue et qu'on fait déjà la queue pour manger une glace chez Popoff, le village reste un port tranquille où s'amarrent encore plus de barques de pêcheurs que de yachts ou de Riva. Les premiers estivants apprécient le côté artistique, libre et provocateur, insouciant de Saint-Trop'.

Le village s'anime par la grâce et l'insolence de BB, suivie de près par ses innombrables prétendants : artistes, cinéastes, fils à papa ou *lebenskünstler*[1]. C'est l'actrice, bien sûr, qui attire les foules depuis sa performance sensuelle dans le film de Vadim précédemment cité : *Et Dieu... créa la femme*. D'autres y chantent le plaisir et le désir, comme Henri Salvador qui fait fantasmer sur « Amour de Saint-Tropez » : « Sur nos corps ivres de soleil / Les reflets paraissaient

1. Bons vivants.

de miel / Et la nuit coulait son désir / Sur nos lèvres unies dans le même plaisir ».

Mais si le village est d'ores et déjà incontournable, la baie de Pampelonne reste quasi *terra incognita* à l'ouest du Club 55.

Dès les premiers jours de septembre, Albert Debarge – qui a ses habitudes depuis plusieurs années à l'hôtel de La Ponche – épluche le cadastre avec Castel pour y trouver les noms des propriétaires de terrains, agriculteurs et fermiers de la région. Ensemble, ils démarchent, cherchent l'endroit idéal, et dénichent enfin la terre promise, loin du village et des premiers établissements balnéaires : la plage y est déserte, les dunes de faible hauteur s'étendent sur deux cents mètres depuis la mer et mènent jusqu'aux vignobles qui bordent le littoral. Avec les moyens qui sont les siens, Debarge n'a aucun mal à convaincre le propriétaire des lieux de lui vendre une parcelle d'environ cent vingt mètres sur cent, face à la mer, ombragée sur l'arrière par des pins maritimes et des pins parasols, terre aride où ne pousse qu'une maigre végétation dunaire. « Un fou ! » doit penser le vendeur varois.

Mais ce terrain vierge, loin de tout, accessible seulement par un chemin poussiéreux crevé de nids-de-poule, se prête parfaitement au projet d'une horde de pirates de Saint-Germain portant haut le drapeau d'une scène artistique hésitant entre le jazz intello des *fifties*, le yé-yé et les précurseurs du beatnik rock-chic des *sixties*.

En signant son chèque, Debarge signe mon acte de naissance.

Il faut aller vite maintenant, nous sommes dans les tout premiers mois de 1960 et Castel veut que je sois fin prête pour la saison d'été qui arrive. L'architecte Jean-Pierre Palmer opte pour des constructions de style colonial auxquelles le bois naturel, à peine lasuré, donne un aspect chalet. Les structures de plain-pied, simples et légères, ornent bientôt le sommet de la dune qui a été nivelée pour que le regard porte sur l'horizon.

Castel et Debarge, les deux passionnés de navigation, s'y sentent tout de suite dans leur élément. Leur intuition était la bonne : de la terrasse, on a l'impression d'être sur le pont d'un bateau pirate échoué sur une île déserte. Pas un voisin pour déranger le regard et gêner les fêtes qui vont bientôt se dérouler ici. Seulement le sable, la mer et le ciel infiniment bleu.

Début juillet, quand débarquent les premiers éclaireurs de Saint-Germain-des-Prés, je ne suis pas encore tout à fait prête. Debarge est impatient que l'affaire tourne et Castel veut faire la fête au plus tôt. Alors son talent d'organisateur et de meneur de bande fait merveille. Il met au travail toute la bande de l'Épi Club et très vite les ouvriers du coin, teint cuivré et casquette sur la tête, se mélangent aux peaux pâles des noctambules épris de jazz. Tout le monde transpire côte à côte en maniant la pelle, la pioche, la scie et le rabot. Quand le soleil tape trop, on se passe au goulot une bouteille de rosé frais ou bien un côte-de-provence rouge de la région. Et aux repas, Castel improvise des barbecues de langoustes sur des feux de planches de chantier et fait sauter les bouchons de champagne. La faune éclectique de Saint-Germain, avec ses écrivains, chanteurs, acteurs, entrepreneurs, se mêle naturellement aux ouvriers tropéziens. Entre deux tranchées, on lance une bataille de tartes tropéziennes, spécialité à la crème inventée deux ans plus tôt par le pâtissier Mika, ou une course de chars humains…

C'est ainsi que se dessine mon premier visage : une luxueuse cabane de Robinson en L sur la dune qui abrite un vaste salon-bar dont les fenêtres s'éclairent de vitraux multicolores en verre soufflé de Biot ; perpendiculairement une salle à manger où peuvent prendre place une trentaine de convives ; et dans son prolongement une petite chambre qui sera plus tard baptisée la « chambre des minettes », qui ouvre sur les appartements d'Albert Debarge. Dehors, face à la mer, des tables abritées par des parasols, des transats, et un immense barbecue circulaire pour rassasier mes invités.

Très vite, ces pionniers bâtisseurs sont rejoints par le reste de la bande de l'Épi qu'on baptise vite le « club des Commandeurs », Castel étant le commandant en chef de ce navire posé sur la dune. Les pieds dans le sable, en maillots de bain et chemisettes, un verre ou une bouteille à la main, on croise Charles Aznavour, Gilbert Bécaud, Tony Andal, Claude Brasseur, Michou Simon, Jacky le Marin, Sissé, Moustache, mais aussi Fifi Baheux, P. Blanchet, Claude Azoulay, Bernard Borderie, Claude et Christian Deffes, Henri Viard, Pierre Livet, J.-P. Paulmard, G. Katz, C. Castaing, Jacques Blum, Jean-Pierre Labalette…

Quant à Sacha Distel, qui est alors la vedette sur laquelle fantasment les jeunes filles, il vient de rompre sa brève romance avec Annette Stroyberg et a trouvé refuge chez moi : « Depuis qu'Annette n'est plus là, les habitués de l'Épi Plage ne reconnaissent plus Sacha. Le chanteur aux yeux verts fuit sa cour de jolies filles. On le voit à l'Épi se baigner seul et rêver sur son bateau devant le décor de sable et de soleil de sa romance interrompue », écrit *Paris Match*.

Françoise Sagan fait aussi partie des pionnières. Son premier roman a fait un tabac et les droits d'auteur lui permettent de mener une vie de jet-setteuse. Saint-Tropez était son terrain de jeu, et du jour où elle a appris que les langoustes qu'on lui servait à Tahiti Plage n'étaient plus pêchées devant le restaurant et par le patron Félix, elle a pris ses habitudes à l'Épi Plage. Elle y débarque dans le Riva *Aquamara* piloté à fond dans la baie de Pampelonne par Albert Debarge. Un éternel whisky à la main, elle aime la fête, le soleil et les longs après-midi sur des transats avec toute sa bande qu'elle a entraînée à l'Épi : Jacques Chazot, Annabel Buffet, Alexandre Astruc... On la voit aussi très complice avec Orson Welles et Juliette Gréco. Ils se sont fréquentés l'année précédente au Festival de Cannes où Orson Welles a présenté son film *Compulsion* (*Le génie du mal*). Le soir venu, ils dînent chez moi, boivent, s'amusent, sont pris de fous rires avant de se perdre dans la nuit en décapotable, direction le port. « *We were very naughty* », s'exclamera Juliette Gréco cinquante ans plus tard.

Castel a fixé les règles de cet empire émergent du plaisir. Seule une barrière de canisse barre l'entrée, mais n'entre pas qui veut. C'est une forme de club où l'on n'accède que par parrainage. Il faut témoigner de qualités indispensables : être décalé tout en restant élégant, faire des batailles de tartes à la crème mais savoir tenir une coupe de champagne. Le presque

Club de l'Épi Plage exige de ses membres fantaisie, romantisme et bonne humeur. Et l'élégance sans le snobisme, car si on peut débarquer en Riva, en hors-bord ou en voiture racée rouge et décapotable, il n'est pas question de se montrer « m'as-tu-vu ».

Les membres de la colonie arrivent souvent tard, en milieu d'après-midi. Il n'y a pas d'activités programmées, tout se fait selon l'inspiration du jour, la fantaisie des uns et l'envie des autres. Plus la proposition est décalée, plus elle a de chances de séduire mes invités. Une bataille de choux à la crème peut s'organiser, à laquelle participent volontiers Vadim et Marie Laforêt. Pendant ce temps, Victor-Emmanuel de Savoie est en cuisine, tandis que Maria Pia de Savoie aide au barbecue. Le soir venu, la plage se transforme en boîte de nuit et en restaurant, à l'image d'un véritable Épi Club de Pampelonne.

En cette première année, tout se fait dans l'improvisation, car il n'y a alors aucun modèle sur lequel me façonner. L'immense succès que je connais immédiatement surprend mes créateurs. Castel lâche du lest et laisse mes hôtes évoluer librement. Comme à Paris, où l'Épi Club mélange les genres entre épicerie et boîte de jazz, j'accueille toutes sortes d'expériences. Je propose par exemple une halte Épi-chien où les toutous des vedettes sont gardés par Moustache, un batteur de jazz qui a joué avec Claude Luter et accompagné Sidney Bechet, mais qui est surtout l'un des piliers du club des Commandeurs. On trouve aussi un barbier italien ou encore la première boutique de Pampelonne, tenue par Liliane Zacharias, ce qui permettra au prestigieux magazine américain *Life* de me qualifier, dès cette première saison, de « *most fashionable daytime hangout*[1] ».

Pourtant, à l'Épi, il faut savoir être élégamment dévêtu, à moitié nu, voire complètement nu le soir venu pour les bains de minuit. L'un de mes hauts lieux a été baptisé par Nelly la « poêle à frire ». En nivelant la dune, on a redéposé le sable en avant, vers la plage. Un cratère de sable fin s'est ainsi formé entre moi et la mer. Intuitivement, les jeunes femmes découvrant les joies du bronzage s'y allongent, en cercle, telles les aiguilles d'une montre ordonnée autour d'un épicentre imaginaire. Située sur le chemin qui mène à la mer, la « poêle à frire » motive les plus réticents à la baignade, prétexte avancé pour jeter un coup d'œil sur les corps dénudés et sensuels.

Dès cette première saison improvisée, alors que les matelas côtoient encore les sacs de ciment, je connais un succès fou. Le Tout-Saint-Tropez regarde désormais vers Pampelonne, bien au-delà du Club 55. Les

1. Lieu de rencontre le plus en vogue.

citadins qui n'apprécient guère la plage se mettent en route vers l'Épi, et les autres plages – Moorea, Tahiti et le Club 55 – voient leur clientèle les déserter. Faisant écho à mon succès phénoménal, *Paris Match* titre un article de plusieurs pages : « Saint-Trop' est fini : Épi Plage le remplace ». L'hebdomadaire évoque un exode : trois mille transfuges seraient partis de Saint-Tropez pour aller coloniser, à dix kilomètres de là, le centre de la baie de Pampelonne. En perdant ses figures les plus renommées, comme Brigitte Bardot et Françoise Sagan, conclut le magazine, Saint-Tropez prend un sérieux coup.

Portée par les vedettes qui me fréquentent et par mon esprit de liberté qui apporte une bouffée d'air frais dans la France rigide du général de Gaulle, ma renommée explose. Le couturier Pierre Billet baptise l'une de ses robes *Épi Plage*. Guy Béart y enregistre une chanson pour le réveillon de la télévision française. Jean Rouch et le sociologue Edgar Morin achèvent chez moi le tournage de *Chronique d'un été*. Dans ce film qui se veut très transgressif, prix de la critique internationale au Festival de Cannes, on suit une pseudo-BB et son compagnon africain découvrant la Riviera, interrogeant ainsi la société bourgeoise et bling-bling naissante.

À la fin de cet été 1960, mes pères exultent devant ce succès inespéré. Le concept de départ était assez flou : un peu table d'hôte, un peu maison d'amis, un peu bar, un peu restaurant, un peu plage, un peu night-club… en tout cas endroit de bonne compagnie. Le vent de liberté qui soufflait sur ma dune a tout emporté dans un tourbillon de folie joyeuse.

3

L'an de grâce 1961

C'est un regard curieux et amusé que pose Jean d'Ormesson sur Saint-Tropez en cet été 1961.

En reportage pour le magazine allemand *Merian*, il évoque la présence du Paris fortuné des écrivains, des artistes et de celui du jazz. Cette communauté, dit-il, entend simplement vivre plus intensément ici ce qu'elle expérimente déjà dans la capitale. Le soir, devant chez Sénéquier, c'est le festival des jeans, des voitures de sport et du whisky. Les Maserati, Ferrari, décapotables de sport et Jaguar se disputent les rares places de parking. Les fêtes sont épiques et le tumulte de la boîte de nuit ne s'arrête qu'avec l'aurore. Le milieu du cinéma est là, le snobisme fait son apparition. Saint-Tropez devient un phénomène à étudier pour un sociologue ou un romancier. Même si, souligne d'Ormesson, la presqu'île est déjà mortelle à d'autres égards, comme en témoignent la consommation excessive d'alcool, l'ambition sociale, l'opportunisme ou les relations sexuelles ambiguës...

Un peu à l'écart, au milieu de la plage de Pampelonne, à l'Épi Plage, la première saison a été celle de toutes les promesses, et Castel et Debarge voient désormais beaucoup plus grand. Pour 1961, ils ont décidé de m'apporter quelques améliorations. On creuse dans la dune une vaste piscine de vingt-cinq mètres aux parois de mosaïque bleue. Il y aura désormais un plan d'eau dans mon enceinte sablonneuse. On construit une paillotte de style africain, de douze mètres de diamètre et de six de haut. Et pour encadrer les fêtes, Castel met sur pied une équipe d'animateurs.

Le premier maître de cérémonie est François Guglietta. Originaire de Marseille, il a animé l'Esquinade sur la place des Lices avant de débarquer à l'Épi Plage. C'est un play-boy charismatique toujours tiré à quatre épingles – chemise italienne, pantalon de coton et montre Cartier extra-plate –, doté d'un fort talent de rassembleur. Bien qu'il ait une bonne vingtaine d'années de plus qu'elle, Brigitte Bardot tombe amoureuse de cet homme qui la rassure et l'amuse. Il est et restera toujours un peu fauché et ses amis se cotiseront souvent pour l'aider à monter des projets qui n'aboutiront pas. Mais il est conscient du potentiel de cette communauté extraordinaire qui réunit chez moi des personnages rayonnant de créativité et il contribue largement à mon succès, notamment en faisant appel à son ami Fernand Bain, du Café des Arts.

Le deuxième animateur recruté par Castel pour 1961 est Jean-Marie Rivière, le futur patron de l'Alcazar, à Paris. La touche qu'il apporte est d'emblée perceptible. D'abord comédien au théâtre – un peu par hasard – puis au cinéma (il joua en 1960 dans *Hold-up à Saint-Trop'*), Rivière est avant tout organisateur de fêtes et de spectacles. C'est un personnage joyeux, créatif, intuitif, toujours à l'écoute des nouveautés et en quête de nouvelles possibilités. Il a commencé au Café des Arts à Saint-Tropez en faisant venir des Toulonnaises qui dansaient sur le bar. Rivière apporte un univers décalé et encore plus de folie. Au Café des Arts, il faisait cabaret jusqu'au bout de la nuit. À l'Épi Plage, ce sera en plein air et en plein jour.

Quant au troisième membre informel de ma *dream team*, il a été repéré par Sacha Distel lors d'une tournée en Amérique du Sud. Au bord de la piscine de son hôtel, à Copacabana, il aperçoit deux jeunes hommes entourés de belles brésiliennes au teint mat, vêtues de bikinis qui dévoilent leurs formes sublimes. Elles défilent les unes après les autres pour embrasser ces deux types. Sacha, intrigué, demande au barman qui sont ces play-boys qui lui font concurrence. « *Os frances* », répond celui-ci. Il les aborde et très vite devient copain avec Bob et Marco. Cela fait quelques années que Bob vit au Brésil. Français, né à Casablanca, il a 28 ans. Sportif, il a participé aux championnats du monde de basket au Brésil en 1954. L'année suivante, appelé sous les drapeaux, il devait aller en Algérie... Mais avec son copain Marco, membre de l'équipe de France de water-polo, ils préfèrent partir pour le Brésil afin d'éviter la guerre. En deux mois ils apprennent le portugais sur l'oreiller, puis se rendent avec réticence à l'ambassade pour faire renouveler leurs papiers, craignant d'être mis aux arrêts et renvoyés. Faute de fonds pour payer leur billet retour, l'attaché militaire les laisse à Rio. Deux ans plus tard, ils obtiendront la médaille militaire pour avoir « défendu la France » ! Entre Bob et Sacha, amateurs de jolies filles et de rigolade, le courant passe bien, au point que Sacha propose à Bob de le rejoindre à Saint-Tropez... L'équipe qui va mettre le feu à l'Épi Plage est au complet !

Bob est tout de suite à l'aise à Saint-Tropez. Il déjeune au Club 55 où Geneviève de Colmont tient une table de douze personnes. Mais c'est surtout chez moi qu'il s'installe. Il joue au poker avec Rivière, gagnant son surnom de *genius* pour le talent qu'il montre... et face auquel Rivière en est réduit à essayer de jouer avec six cartes dans la main ! L'ambiance qu'il découvre est encore plus explosive que celle que lui a décrite Sacha au Brésil, car Castel m'a encore fait évoluer. Il a ajouté l'Épi China, premier restaurant asiatique de la Côte d'Azur, tenu par Jean-Claude Merle, un acteur que l'on verra dans quelques films, dont *Saint-Tropez Blues*, mais qui pour le moment donne un coup de main au Commandant Castel. Les vedettes des arts ou du show-biz comme Guy Béart, Jean-Pierre Cassel, Claude Brasseur ou le couple Buffet y dînent souvent. Sans être officiellement membre de l'équipe, Bob Zagury devient vite une figure incontournable de l'Épi, aiguillonneur des festivités, tout comme Tony Andal qui apporte sa fantaisie, son charisme et son esprit. C'est lui qui complétera les activités du club en y adjoignant un cinéma, un salon de beauté ou un antiquaire.

Dès les premières nuits de cet été 1961, le sens développé du spectacle de Jean-Marie Rivière s'affirme. Il se définit lui-même comme un « ouvre-boîte », quelqu'un qui lance le mouvement et libère les énergies. Sa philosophie est simple : « la vie est courte, l'ennui l'allonge, la fête est primordiale. Elle compense les peurs, passe les trahisons et trompe l'ennui ». Alors on organise des défilés surréalistes, on se déguise en inversant les rôles : les femmes en hommes, les hommes en robes – sans caleçon, évidemment ! Les soirées de l'Épi sont transgressives et joyeuses. On les commence souvent chez Ghislaine qui tient le bar incontournable de Saint-Tropez. De là, on part à l'Épi Plage. Des joutes s'organisent dans la piscine. On y jette les premières planches de surf californiennes, des *longboards* fraîchement débarquées que les participants rident maladroitement tout habillés jusqu'au plongeon final. Sacha Distel n'est pas le dernier à y plonger aux côtés de belles inconnues. Lors de ces soirées, il n'y a plus ni vedettes ni anonymes, juste des jeunes gens libres, beaux et joyeux. Il fait chaud, ma position isolée, à l'épicentre de la plage, garantit que la fête se déroule entre soi, l'alcool coule à flots, les interdits se lèvent, l'atmosphère de mes nuits est festive et sensuelle.

Mes journées aussi recèlent des surprises. Poussés par le Commandant qui veut aller toujours plus loin, Rivière, Guglietta et Zagury imaginent l'inimaginable. On fait venir un cirque, avec ses fauves et deux mille personnes assistent à la représentation. On monte une arène sur mon sable blanc pour y donner une vraie corrida, avec *toros bravos*, banderilleros et matador. Quand il n'y a pas d'événements exceptionnels, ce sont des guerres de tranchées à coups de tomates ou de spaghettis ou autres jeux potaches lancés par Tony Andal, Bob Zagury ou n'importe quel autre membre du club des

Commandeurs. Pour nourrir tout le monde, le gigantesque Grill & Barbecue tourne toute la journée. On y grille parfois trois cents steaks et les langoustes arrivent par camions entiers. Je suis devenue une arène romaine alternant les orgies et les disciplines olympiques, version tropézienne !

Partout on parle de moi. Le disque « Épi Plage Cha-Cha », une danse endiablée sortie cette année-là, réalisé par Pepe Zapatta avec Sacha Distel et ses musiciens résume l'ambiance : l'Épi, c'est du champagne avec des filles qui dansent, le Commandant Castel et Sacha Cha-cha. Dans le magazine *Merian* toujours, Jean d'Ormesson évoque cette « bombe » qu'est l'Épi Plage où, dit-il, les demi-dieux du cinéma, de la pub, de la littérature et des affaires se retrouvent à huis clos : « C'est à la fois amusant, immoral et agréable… »

Ma notoriété attire de nouveaux membres. Un aspirant chanteur, Claude François, se retrouve ainsi à discuter au bord de la piscine avec Brigitte Bardot et Sacha Distel qui le poussent tous deux à aller à Paris pour réussir. Le conseil sera profitable ! Pendant ce temps, Charles Aznavour, accompagné d'Ulla Thorsell, superbe grande blonde de vingt ans, accueille Sheila et le producteur Claude Carrère à déjeuner. Françoise Dorléac et Jean-Pierre Cassel sont de la partie. Ils se sont rencontrés l'hiver précédent à l'Épi

Club et vivent depuis une passion terriblement destructrice. Mais pour l'heure, ils se fondent dans l'ambiance et dansent inlassablement au rythme d'« Épi Plage Cha-Cha ».

Des milliardaires font aussi leur apparition, comme Gunther Sachs. À trente ans, c'est déjà un play-boy, mais sa réputation n'a pas encore franchi les frontières. Il débarque en skiant derrière son Riva. Arrivé à hauteur d'Épi Plage, il tire à fond vers l'extérieur côté mer, repart au maximum sur sa carre dans ma direction et tranche le plan d'eau pour glisser sans effort jusqu'à la plage. Il aime faire l'athlète dans la grande piscine mosaïque et impressionner les filles par ses plongeons et ses pirouettes. Mais il n'est pas qu'un simple héritier richissime et charmant. Il a grandi en Allemagne, puis en Suisse et a perdu ses parents alors qu'il était très jeune. Son frère et lui ont hérité des empires industriels Sachs et Opel ; ils ont pu s'accorder afin d'assurer la pérennité du patrimoine familial. Gunther se consacre aux mathématiques, s'intéresse à l'astrologie, à l'art et au film documentaire. C'est aussi un sportif de haut niveau, cumulant les exploits en bobsleigh. À l'Épi, Gunther aperçoit Brigitte Bardot, mais pour le moment c'est une autre Brigitte qui occupe son cœur : Brigitte Laaf, une jeune top model allemande qui découvre avec lui Saint-Tropez. Dans le sillage de Gunther Sachs, d'autres milliardaires abordent mon rivage : Giovanni Agnelli, Aristote Onassis, Stávros Niárchos. « Voilà le nouveau port de Saint-Tropez » commente *Paris match* en publiant la photo d'une armada de bateaux parfaitement alignés mouillés devant ma plage.

Il y a désormais chez moi quatre play-boys majeurs : Bob, Gunther, Sacha et François. Mais s'il existe une concurrence naturelle dans le domaine des conquêtes féminines, ils restent avant tout des copains, habités d'une même passion pour les femmes et l'art de vivre en s'amusant.

Les excès à l'Épi Plage se limitent pour l'heure à l'alcool et aux tout premiers joints. Pas de poudre pour le moment. Mais d'autres hôtes commencent à me fréquenter, plus torturés, moins portés sur la gauloiserie et la rigolade potache. Cet été-là, le poète Allen Ginsberg, l'une des figures clés de la *beat generation* et de la contre-culture américaine, est en visite chez moi. Il débarque au beau milieu de cette ambiance de fête qui n'est pas vraiment sa tasse de thé, même s'il sympathise avec Françoise Sagan et échange sur la politique et la contestation avec Jean d'Ormesson.

Ginsberg rencontre aussi le maître des lieux, Albert Debarge. Lui non plus n'est pas adepte des batailles de tartes à la crème ou des déguisements. Comme à l'Épi Club, on le voit souvent en retrait, l'air sombre, assis près du bar, d'où l'on peut observer sans être vu tout ce qui se passe et repérer les plus jolies filles. En pharmacien, il s'est toujours intéressé aux substances d'un œil médical et scientifique, mais il en use aussi désormais pour consommer et s'évader. Adepte du LSD et des amphétamines, Ginsberg repère à l'Épi de l'héroïne. De l'héro d'amateurs, de gamme moyenne. Les deux hommes se réfugient dans la petite chambre adjacente aux appartements de Debarge. La poudre blanche lui brûle les narines, tandis que Ginsberg avale des amphets. Quelques instants plus tard, dans un état second, ils rebondissent d'une idée à l'autre, leur discussion décousue tirant des bords du codex de Dresde à John F. Kennedy en passant par la lune dont les jours de solitude sont désormais comptés. Davantage d'héroïne est commandée, livrée par une voiture de sport rouge sang.

Puis Albert et Allen s'allongent au bord de la piscine, au soleil. Ils écoutent Ray Charles entourés d'une bande de jeunes minets qui ne sont pas du goût d'Allen. Ils planent loin, perdus dans le trip d'un monde mythologique où un chariot tiré par un dragon les entraîne vers l'enfer ou la sorcière. Enfin, Ginsberg quitte brusquement les lieux, raccompagné jusqu'à Paris par le chauffeur d'Albert. Ce trip, la conversation avec Debarge et le voyage à l'Épi, Ginsberg en fera un poème, « *Funeral Vomit* ».

La *beat generation* new yorkaise est passée chez moi. Elle y a laissé son empreinte. Un changement majeur s'est opéré : la drogue fait désormais partie du jeu.

L'été 1961 s'achève. Saint-Tropez est encore en gestation sociale et culturelle et moi, l'Épi Plage, j'en suis le laboratoire le plus abouti. Je suis devenue l'endroit où il faut être, celui où se pressent vedettes et fêtards, là où s'invente une nouvelle manière de faire la fête, où se pratique une liberté impensable ailleurs. Sur mon sable, autour de ma piscine, les hiérarchies sociales sont gommées. Comme aimait le rappeler Roger Vadim, jeunes et vieux, riches et pauvres se mêlent. Un millionnaire peut s'amuser comme un bohémien tandis qu'un nécessiteux peut y mener le train de vie d'un millionnaire.

Castel, qui n'aime rien tant que rigoler entouré de ses amis, est comblé par ce succès. Debarge, plus soucieux de gestion, l'est moins : le cirque, la corrida, les animations, tout cela coûte cher. Et combien de membres de ce club informel oublient de payer les bouteilles de champagne qu'ils sabrent à tout va pour arroser leurs orgies de langoustes ? Financièrement, l'Épi est un gouffre.

Et puis Albert semble préoccupé par autre chose, malgré son nouvel exploit sportif – enfin une médaille d'or aux championnats européens de Star à Kiel, en Allemagne. Sa femme n'est jamais présente, même s'ils sont encore officiellement mariés. Et si ses fils Philippe et Olivier se montrent parfois à l'Épi, les deux autres, Éric et Thierry, y sont rarement.

4

1962, fin de l'acte I

En deux ans d'existence, je suis devenue la plage incontournable à Saint-Tropez, celle qui fait pâlir de jalousie les autres établissements et rêver les lecteurs de *Match*, *Life* ou *Merian*, cette grande presse nationale et internationale qui s'arrache les photos des stars trinquant autour de ma piscine ou allongées dans ma « poêle à frire ». Pas un reportage sur Saint-Tropez sans qu'on parle de moi et des nuits mémorables que j'ai abritées. Ma légende est en marche !

Ma troisième saison, celle de l'été 1962, aurait dû être grandiose. Castel et Debarge ont fait ajouter un gigantesque palapa, une hutte sans murs dont le toit de canisse protège les peaux pâles des noctambules des ardeurs du soleil. Aux commandes, ma *dream team*, Rivière, Guglietta et Zagury, est prête à toutes les folies pour divertir les hôtes de passage.

L'été débute avec l'ambiance propre à l'Épi Plage. Il y a de plus en plus de monde sur mes terres, où l'on croise en toute décontraction hommes d'affaires, chanteurs, artistes, écrivains, beaux inconnus, jeunes starlettes, play-boys milliardaires ou fauchés. Les plus jolies filles de Saint-Tropez se pressent autour de ma piscine. Leur style n'est pas vraiment celui de la « vraie » tropézienne, bronzée et sportive, nageant en pleine mer par une fin de matinée ensoleillée. Ça, c'est le passé, celui de Tahiti ou de Moorea.

La jeune tropézienne de l'Épi est plutôt pâle, car elle se lève trop tard pour profiter des UVA. Elle délaisse la plage envahie de touristes et préfère déjeuner chez moi, en fin d'après-midi. Une petite baignade en mer peut-être ou plutôt un plongeon dans mon immense piscine avant de remettre le rosé au frais. Un tour de ski nautique pour raffermir le corps et une pétanque au soleil couchant, avant d'entamer la fête jusque tard dans la nuit.

Ce succès est tel que l'un de mes concurrents, lassé d'indiquer à des touristes perdus où je suis, plante un écriteau devant son établissement : « L'Épi Plage, c'est ailleurs ! » Certains tentent de se renouveler. Félix Palmari, propriétaire de Tahiti Plage, installe un bowling pour attirer des jeunes… sans se rendre compte qu'en 1962 le bowling est déjà dépassé, trop connoté *fifties* ! C'est moi, et moi seule qui lance les tendances et dicte les modes. Dans ce microcosme qu'est Saint-Tropez, je suis à l'avant-garde des *sixties* alternatives et sauvages. Alors, la riposte s'organise. Les autres plages se réunissent à Paris pour étudier la meilleure manière de torpiller l'Épi : c'est l'acte fondateur du lobby des plages de Pampelonne. Toutes contre moi, qui étais et qui reste en marge : trop singulière pour me fondre dans le moule.

Mais ce qu'elles ignorent, éblouies par mon aura, c'est que si tout semble normal et que la fête bat son plein, en coulisses je suis devenue une cocotte-minute prête à exploser. Après la gestion calamiteuse de l'année précédente, Albert Debarge a décidé de reprendre la maîtrise de l'Épi Plage. Il sait qu'en continuant sur le même rythme, je ne survivrai pas. Le soir, attablé au bar, il ne dissimule plus sa mauvaise humeur devant les jeux potaches et un peu puérils. Le club du Commandeur et ses membres ne l'amusent plus. Le côté bohême et bruyant l'irrite. Il perd ses nerfs, en particulier lorsqu'il prend des substances illicites. Il n'accepte plus, contrairement aux deux premières saisons, de n'être qu'un spectateur du show improvisé qui se déroule chez lui. En homme habitué à gérer des équipes et à commander, il veut redevenir le chef d'orchestre incontesté, celui que l'on consulte et qui contrôle.

Castel, lui, se sent bridé dans sa volonté de faire vivre ce feu d'artifice social et ce laboratoire festif que je suis devenue. Avec Jean-Marie Rivière, resté proche de lui, ils voudraient aller toujours plus loin, créer des événements encore plus grandioses que le cirque ou la corrida. Ils ne peuvent pas.

La rupture entre les deux clans est inévitable.

Elle intervient au cours de l'été, quand Debarge, excédé, trouve un arrangement avec Castel et l'envoie à Paris pour s'occuper de ce qui deviendra Chez Castel, le mythique club de la rue Princesse. Il ne remettra plus jamais les pieds chez moi.

Rivière et Castel partis, Bob Zagury et François Guglietta, fidèles au poste, continuent de mettre l'ambiance. Mes hôtes ne se sont pas aperçus du drame qui s'est joué entre mes deux fondateurs. Tel un bateau sur son erre, je continue l'été sur ma lancée. Tout Saint-Tropez se presse chez moi. On boit, on rigole, on fait la fête. Les bouchons de champagne sautent. Le barbecue continue de griller des langoustes et des côtes de bœuf par dizaines. On danse au rythme de « Good for Twist », twist de Pappy Pad, qui sort cet été-là, et le récit de mes nuits continue d'alimenter les pages des magazines. Le club des Commandeurs a disparu avec son capitaine, mais comme sur le *Titanic* sombrant, l'orchestre continue à jouer.

Débarrassé de Castel, Debarge doit envisager un nouvel avenir pour moi. Il n'a ni l'envie ni la capacité d'animer seul un établissement voué à la fête. Dans un premier temps, il propose à François Guglietta de s'associer avec lui. Mais celui-ci décline, dépourvu de cette capacité à saisir les opportunités qui fait les *winners* et déstabilisé sans son équipe, dont les membres partent à la fin de l'été pour fonder le Voom Voom à Saint-Tropez.

Alors, Debarge décide que cette saison sera la dernière de l'acte I de l'Épi Plage. J'avais épousé les traits de Castel, suivi sa folie festive jusqu'au bout, m'ouvrant de plus en plus largement à tous les noctambules. Debarge s'apprêtait à me façonner plus à son image.

5

1963, Debarge à la barre

Debarge fait construire deux courts de tennis pour offrir de nouveaux divertissements à ses hôtes. Mais surtout, il prend dès l'automne 1962 une décision lourde de conséquences : il cède à Geneviève de Colmont, propriétaire du Club 55, la licence IV de l'Épi Plage qui donne le droit de vendre des alcools forts. Je n'aurai plus l'autorisation de vendre de l'alcool, ni d'avoir pignon sur rue comme boîte de nuit. Je vais devoir me faire plus *underground*, à l'image des bars clandestins pendant la prohibition américaine, où les *bootleggers*[1] stockaient sous leurs comptoirs tous les alcools pour les *happy few* qui connaissaient l'adresse.

Cela ne m'empêche pas de rester célèbre, au-delà des magazines. Cette année-là, on me retrouve dans un épisode du *Saint* : Simon Templar, l'aventurier

1. Terme américain signifiant « l'homme qui cache une bouteille dans sa botte » et désignant un contrebandier.

irrésistible incarné par Roger Moore à l'écran, poursuivi par deux *speedboats*, trouve refuge dans la dune de l'Épi Plage « où les plus fanatiques adorateurs du soleil scandalisent régulièrement le bourgeois avec leurs exhibitions sans entraves ». Dans ces années prérévolution sexuelle, ma réputation un peu scandaleuse est bien établie !

D'ailleurs, BB chante « Nue au soleil », une chanson qui colle parfaitement avec l'atmosphère qui règne chez moi. Ghislain Dussart, dit Jicky, peintre et photographe qui collabore notamment avec *Match*, est un proche de Bardot et son photographe attitré. Ensemble, ils réalisent sur ma plage ou dans ma dune des clichés qui deviendront mythiques : portraits, nus, premières pages de magazines. Le soir venu, ils dînent chez moi, où la star a ses habitudes depuis le début. Bob Zagury les rejoint de plus en plus souvent, les dîners se prolongent tard dans la nuit douce, sous les étoiles… Jusqu'au jour où Brigitte et Bob s'embrassent en repartant en voiture. Ils resteront ensemble trois années.

En cette saison 1963, je reçois un peu moins de monde. La foule des pique-assiette a disparu, remplacée par des *guests* triés sur le volet. Albert Debarge n'est plus en retrait, comme autrefois. Au contraire, il est au centre de l'attention. Chemise ouverte sur le torse où brille un médaillon d'or, Ray-Ban, le sévère businessman s'est mué en play-boy, avec parfois Bardot qui déjeune à ses côtés. Il a décoré le grand salon avec un mélange de meubles classiques anglais, Chesterfield, tableaux de chasse, vase-récipient à whisky, mobilier de bateau et des touches d'exotisme : poufs et tapis marocains, coffres maures, tortues et trophées de chasse. Une ambiance entre classique, beatnik et hippie qui le représente bien et qui est à la pointe de la tendance. Enfin, il est devenu le vrai maître de cérémonie de ces lieux ! C'est lui qui choisit qui peut fouler mes terres : il faut intéresser Albert, lui plaire ou l'amuser pour être admis à déjeuner à l'Épi Plage. J'étais un club privé, je deviens un club très exclusif, une sorte de QG arty où vont se mélanger artistes, hommes politiques et hommes d'affaires.

Parmi mes habitués de la première heure, ceux dont le talent sportif, l'intelligence, la culture et l'humour leur permettent de soutenir des conversations jusqu'au bout de la nuit avec Albert sont restés. Sagan est de ceux-ci, bien entendu. Elle continue de fréquenter Saint-Tropez, surtout hors saison, lorsque le soleil brille déjà et que la foule n'a pas encore envahi les plages et le port. Ainsi, le 21 juin 1963, elle fête son anniversaire sur le *Malahne*, le yacht de Sam Spiegel, producteur de films américain (notamment *Lawrence d'Arabie*). Une vingtaine d'invités sont là : Gunther Sachs, Gilbert Bécaud, Annette Stroyberg, mais aussi la femme du Premier ministre français, Claude Pompidou, escortée par ses deux gardes du corps. Tous ont passé l'après-midi chez moi et se sont interrogés sur les multiples passages en rase-mottes des hélicoptères de l'armée française au-dessus d'Épi Plage. Y aurait-il un danger, une menace pour la deuxième dame de France ?

Claude Pompidou apprécie le charme et la classe de Gunther Sachs : « Qu'en pensez-vous, Gunther ? Je n'ai pas reçu le moindre rapport, ni de l'administration ni de mon mari. » Sachs, accompagné de Brigitte Laaf, s'amuse de cet épisode et lui explique, avec un humour décalé, que cela n'est pas lié à sa présence. « Madame Pompidou, s'exclame-t-il dans un français parfait, un propriétaire de yacht étranger, allongé au bord de la piscine mosaïque de l'Épi Plage, a dû laisser son talkie-walkie allumé tandis qu'il s'entretenait en suisse allemand avec sa compagne. L'armée, qui a intercepté l'étrange conversation, a cru qu'il s'agissait d'espionnage et a sans doute décidé d'envoyer immédiatement une équipe et des hélicoptères. » Quelques rires hésitants se font entendre, tant cette explication paraît incongrue. Françoise Sagan, quant à elle, éclate d'un rire sincère et incontrôlé et finit son verre de scotch d'un trait.

Claude Pompidou et son mari Georges, qui louent une maison à Saint-Tropez, prennent rapidement l'habitude de passer leurs après-midi à l'Épi Plage. Le Premier ministre apprécie le calme de l'endroit où il aime se détendre avant sa partie de pétanque à Ramatuelle ou sur la place des Lices, comme un simple citoyen, sans garde du corps.

Quant à Claude, elle a vite compris l'esprit qui m'anime depuis ma conception : celui d'un havre de liberté en marge du monde, un cocon fait pour protéger ses hôtes qui savent que leur réputation ne sera jamais compromise par ce qui se passe à l'abri de mes murs. Claude Pompidou est une intellectuelle, passionnée d'art contemporain. C'est aussi une femme moderne, indépendante, qui essaye de préserver sa liberté même si elle est l'épouse du Premier ministre. Elle, qui apprécie peu les contraintes que lui impose la charge de son mari, peut enfin souffler à l'Épi, laissant libre cours à ses envies les plus simples. On la voit rire autour de la piscine, un verre de rosé à la main, une cigarette dans l'autre, et profiter du soleil dans ma « poêle à frire », ce cratère dans ma dune où se dénudent en toute discrétion les plus jolies filles sous l'œil peu discret des garçons. Le vent caresse les peaux hâlées, qui se frôlent dans une atmosphère chauffée par le soleil. On y paresse en bonne compagnie, bronzant d'un côté puis de l'autre pendant des heures jusqu'à ce que le corps en surchauffe exige un bain de mer ou un plongeon dans la piscine. Le 13 août, alors qu'elle y passe l'après-midi en compagnie de quelques habitués, Claude Pompidou y perd un bijou de famille. S'est-elle retournée trop brutalement pour ne pas perdre un rayon de soleil ? A-t-elle couru trop vite vers la piscine ? Quelqu'un l'a-t-il bousculée ? L'histoire ne le dit pas. Mais on passe l'endroit au peigne fin, et c'est finalement Fernand Bain qui retrouve la bague égarée. Invité à l'Élysée en guise de remerciements, il refusera curieusement de s'y rendre…

Autre vieil habitué, Gunther Sachs continue de fréquenter l'Épi Plage. Debarge apprécie l'éclectisme intellectuel de ce play-boy féru d'art et de mathématiques. Et puis Gunther, lui aussi, sait que je garderai ses secrets. C'est chez moi qu'il s'était réfugié avec Soraya, l'impératrice d'Iran fraîchement abandonnée par le shah, à contrecœur, car elle ne pouvait pas lui donner d'héritier. Ils s'étaient croisés à l'Escale, sur le port tropézien et Brigitte Laaf, qui était alors la fiancée du milliardaire allemand lui avait suggéré de l'inviter à se joindre à eux. Erreur fatale. Gunther et Soraya avaient eu un coup de foudre brutal et irrépressible. Brigitte avait quitté Saint-Tropez et j'avais été témoin de quelques jours de romance entre les nouveaux amants.

Puis les choses sont rentrées dans l'ordre. Brigitte Laaf a regagné le cœur de Gunther et ne le quitte plus des yeux, admirant son courage lorsqu'il se lance dans des défis au volant de sa Mercedes 300 SL. Avec Sagan au volant de son Aston Martin et Vadim qui débarque chez moi en faisant ronfler l'une des premières Ferrari 12 cylindres que le Commandatore Ferrari lui a cédé pour une bouchée de pain, ils forment une sorte de gang à la réputation sulfureuse, dans les rangs duquel on compte aussi Bardot, Deneuve ou Jane Fonda.

C'est une bande de bons vivants, exubérants et chaotiques, têtes brûlées et sportifs. Ils organisent des joutes en Riva armés d'extincteurs pour asperger l'adversaire, des passages à ski nautique au ras de la plage pour effrayer les touristes, et puis la fine équipe se replie chez moi et enchaîne toutes sortes de jeux arrosés au champagne. En quittant l'Épi, ils se lancent des défis. Sur la route qui part de chez moi, avec la fourche en bout de ligne droite, Sachs et la 300 SL, Vadim en Ferrari foncent côte à côte. Ils ne peuvent pas vraiment voir qui est en tête et doivent faire le choix dangereux de prendre à gauche ou à droite. Le comité d'arbitres compte dans ses rangs Marlon Brando et Françoise Sagan. À une manche partout, il faut prendre tous les risques. Sachs finit dans la pinède. Il en sort indemne, contrairement à la Mercedes…

Gunther Sachs, Françoise Sagan, Brigitte Bardot, Annabel et Bernard Buffet, les Pompidou, Roger Vadim, Marlon Brando et bien d'autres encore… Même si Debarge en a restreint l'accès, je reste un lieu recherché et fréquenté par les célébrités. Les fêtes sont peut-être moins potaches qu'avant, plus exclusives, mais sous la houlette de Jacques Chazot ou de Bob Zagury, elles enflamment toujours les nuits de Pampelonne. D'autant que maintenant qu'Albert s'est replacé au centre du jeu, ses fils prennent de plus en plus d'importance, introduisant dans les soirées de l'Épi toute une nouvelle génération. Deux des enfants en particulier commencent à être plus présents dès 1963 : Olivier, brillant étudiant à Oxford, et Philippe, l'aîné.

Né en 1940, Philippe a vingt-trois ans. C'est un play-boy brun, mince, aux traits fins, plutôt orienté *farniente* et *dolce vita.* On le juge discret, aimable, introverti et élégant. Un dandy timide, plein de paradoxes, qui pouvait parfois se transformer en artiste. Fragile et sombre, Philippe entretenait un certain complexe vis-à-vis d'un père aux succès encombrants et au changement de vie déstabilisant. À la charnière des années 1950 et 1960, il avait passé son temps dans les bars, les bistrots, les drugstores et fréquenté l'*underground* parisien. C'était l'époque des bandes : celle du Drugstore, celle de Saint-Lazare dont faisaient partie Jacques Dutronc et Johnny Hallyday et celle du Français, du nom d'un café chic des Champs-Élysées où se retrouvaient des blousons noirs amateurs de haschich. Dont Philippe Debarge, Serge Kruger, Jean-Pierre Kalfon ou Jean-Marie

Poiré. Tous, sauf Philippe, connaîtront une certaine gloire. Passionné de rock, flambeur, Philippe a pourtant tenté de suivre cette voie, créant non sans humour un groupe baptisé les Daddie's sons qui en 1961 avait joué à l'Épi avec Claude François, alors inconnu. À Saint-Tropez, il improvise un autre groupe, The Silver Spoons Sons, révélateur une nouvelle fois d'une certaine autodérision.

Pourtant, en cet été 1963, ce n'est pas son talent de musicien qui lui vaut la reconnaissance à Saint-Trop', mais bien son statut de fils d'Albert Debarge, dépensant sans compter pour lui et ses amis. Olivier et Philippe font sensation en faisant pétarader devant chez Sénéquier le moteur de grosses Harley ou d'une superbe Norton, décorées de drapeaux US ou britanniques, sous les yeux émerveillés d'Inès de La Fressange fillette. Partout où ils passent, on déroule le tapis rouge. Pas de queue à faire, jamais de restaurant complet, aucune difficulté pour obtenir les meilleures tables sans réservation.

Depuis leur fief de l'Épi Plage, les Debarge père et fils sont devenus les rois de Saint-Tropez. Sans savoir qu'il ne leur reste que quelques années pour en profiter.

6

1964-1966, le temps des princes

Depuis l'été précédent et leur rencontre à l'Épi Plage et Chez Guislaine, Bob Zagury et Brigitte Bardot filaient le parfait amour. En janvier 1964, les deux tourtereaux s'étaient envolés pour le Brésil, Brigitte acceptant pour Bob de surmonter sa peur panique de l'avion. Mais cette première traversée de l'Atlantique avait une contrepartie : elle avait exigé que Bob revienne ensuite avec elle à Saint-Tropez.

Lorsqu'ils débarquent chez moi, déjà bronzés avant même le début de l'été 1964, ils découvrent un nouveau paysage. Albert Debarge a fait construire quatre bungalows autour de la piscine, qui seront bientôt rejoints par deux autres. Des bâtiments simples, fidèles à mon style colonial en bois. Vingt-cinq mètres carrés, une salle de bains, des toilettes et trois fenêtres, dont la principale donne sur la piscine et plus loin sur la mer. Au-dessus de la porte des quatre premiers, le prénom d'un de ses fils. Les numéros 5 et 6 seront réservés pour les amis. Autre innovation de l'hiver, à l'entrée de la propriété, un grand garage abrite les voitures à disposition de la famille Debarge : une Rolls-Royce 1906, des Ferrari, une Porsche et une Maserati.

C'est un autre bolide qui quitte Paris au petit matin du 17 juin 1964. Au volant de ce qui reste sans doute l'une des plus belles voitures jamais produites, une Ferrari California, modèle spécial bleu ciel, Philippe Debarge prend la route de Saint-Tropez, cheveux au vent, accompagné de son ami Alix Chevassus, un play-boy athlétique d'une beauté saisissante qui collectionne les conquêtes, riches de préférence. L'autoradio poussé à fond hurle la chanson de France Gall qu'admire tant Philippe : « Laisse tomber les filles ». « Tu le paieras un de ces jours / On ne joue pas impunément / Avec un cœur innocent… » Les deux amis sortent d'une nuit de bringue Chez Castel, rue Princesse, où se croisent des fils à papa branchés, des géants du cinéma comme Orson Welles et toutes sortes de petits voyous. Philippe est toujours tiraillé entre le monde des *bad boys* et des bandes et celui du show-biz, du rock et de Saint-Germain. Mais il s'intéresse avant tout aux jeunes filles, et avec sa belle gueule de minet parisien, sa décapotable California et la plage la plus branchée de Saint-Tropez, il n'a aucun mal à collectionner les conquêtes. Pour le moment, c'est Chantal Goya qui occupe son cœur et qui désire l'épouser. « Mon fils coûte trop cher à entretenir », lui lancera avec humour Albert !

Arrivés chez moi après avoir brûlé le bitume au volant de la Ferrari, les amis s'installent dans un des bungalows qui me donnent l'air d'une propriété californienne, avec les planches de surf qui flottent dans la piscine et Philippe qui arbore les *boardshorts*, ces premiers shorts de surf importés tout droit de la côte ouest des États-Unis. Les nouvelles constructions voulues par Albert pour accueillir sa famille ont un peu brouillé les cartes. Je suis désormais à mi-chemin entre une propriété privée, une table d'hôte et un club très privé. Un barman un peu désœuvré astique les verres derrière mon bar, il y a un menu du jour, un employé pour s'occuper du barbecue, des serveurs pour prendre les commandes, mais n'entre pas qui veut. Il faut être soigneusement recommandé, puis adoubé par Albert ou ses fils pour oser pousser la porte de l'Épi Plage.

Certes, je cultive cette ambiguïté depuis ma naissance, mais elle est désormais poussée à son paroxysme.

Avec Philippe et Olivier Debarge, une nouvelle génération prend ses aises à l'Épi. Chaque soir les garçons quittent la plage en Harley, en Ferrari ou en Rolls pour aller parader à Saint-Tropez. Ils ont table ouverte dans les bars et les boîtes où ils passent la nuit avant de ramener les plus jolies filles de la côte. Les générations se mélangent, partagent des jeux à boire et se lancent des défis. On finit la soirée comme on l'a commencée, assis par terre sur des tapis berbères, jeunes et moins jeunes faisant tourner un joint qu'Albert Debarge, en djellaba blanche, ne néglige pas.

Parmi les nouveaux membres de ce club très privé, deux nymphes blondes et innocentes qui découvrent l'Épi en famille, les sœurs Haas.

Philippe, qui aime les adolescentes, a un faible pour Christine à peine âgée de seize ans. Les jeunes gens fondent « les cacas, l'équipe qui merdoie ». Entre Saint-Tropez et l'Épi Plage, cette fine équipe organise et participe à toutes sortes d'activités. Ils défilent déguisés dans la vieille Rolls jusqu'à la place des Lices où ils se lancent dans les jeux organisés par Jean-Marie Rivière : course de vélo par équipe, qu'ils gagnent, et même course de vachettes. Christine est séduite par Philippe, malgré les huit ans qui les séparent. Il est doux, gentil, prévenant, amusant… Et un soir elle se retrouve dans son lit. C'est sa première fois. Une drôle d'expérience qui la marquera à vie : alors qu'ils font l'amour, Philippe se met à l'appeler… Christian ! L'ambiguïté, décidément, est la règle à l'ombre de mes murs.

À cette période, je vois débarquer de plus en plus de fils à papa qui, comme Philippe, semblent chercher leur voie, tant sexuellement que professionnellement. En juillet 1965, un jeune californien devient le centre d'attraction d'Épi Plage. Sean Flynn, vingt ans, fils de la légende d'Hollywood Errol Flynn et d'une actrice française, est chez moi. C'est son deuxième séjour – il était venu en 1963. « Il n'y a rien de comparable à Saint-Tropez », déclare-t-il dès son arrivée.

« La future star hollywoodienne », comme aime le définir la presse internationale, est taillée comme un surfeur : grand, musculeux, son visage est celui d'une star de *blockbuster* et son regard fait fondre toutes les jolies tropéziennes.

Il a déjà joué dans plusieurs films, des rôles plutôt modestes. Mais peu satisfait par le métier d'acteur et par le star-système, il hésite quant à la direction à donner à sa vie et vient se ressourcer chez moi, à l'invitation des Debarge, qui le reçoivent chaleureusement. Le cinéma n'est pas son monde, il lui rappelle trop son père dont l'ombre géante l'empêche de respirer. Sean vient de passer quelques mois en Afrique de l'Est où il est allé chasser, sa passion du moment. Il s'est aussi essayé au métier de guide de safari, mais a quitté le Kenya avant d'obtenir sa licence.

À Saint-Tropez, c'est une vedette. La presse le suit de près, guettant ses multiples conquêtes. Chez moi, il attire tous les regards et toutes les convoitises, son charisme naturel et son allure séduisent. Sean passe l'été entre Épi Plage, les balades en Riva, les baignades dans les criques et les virées chez Sénéquier sur le port. Il circule à moto et passe souvent chez les Sulitzer pour y prendre Dominique, la sœur de Paul-Loup. Ils prennent des bains de minuit à Pampelonne, mais la presse qui le suit à la trace ne parvient pas à le harceler lorsqu'il est chez moi. Fidèle à mes principes, je protège mes invités !

Pendant cet été, l'intérêt de Sean Flynn pour la photo s'affirme. Il est plus à l'aise derrière que devant la caméra, capturant et mitraillant ses proies – entre autres de belles tropéziennes posant nues sur les rochers du cap Camarat ou à l'Épi Plage. Mais il a la tête ailleurs. Au bord de la piscine, il songe à la guerre du Vietnam et au sens qu'il veut donner à sa vie. C'est décidé, il sera photojournaliste. Il quitte l'Épi pour tourner deux westerns spaghettis en Espagne, deux navets auxquels il participe sans conviction. Il rencontre les équipes de *Paris Match* et leur propose de devenir leur reporter de guerre au Vietnam. L'hebdomadaire flaire la bonne affaire : le fils d'Errol Flynn, play-boy de l'Épi Plage, sur un terrain de guerre au Vietnam, c'est un scénario digne de Hollywood. En 1966, Sean Flynn part pour Saigon.

Cette nouvelle génération qui a débarqué chez moi n'a pas chassé les anciens, au contraire ! Dans ces années-là, de nouvelles figures goûtant le mélange des générations, qui devient la règle chez moi, apparaissent à côté de Sachs, Bardot, Sagan ou Zagury : Alain Delon, Jane Fonda, Eddie Barclay, Hubert de Givenchy qui occupe souvent le bungalow n° 1...

Ce dernier a fait découvrir l'Épi à son amie Audrey Hepburn, qu'il habille depuis les années 1950. Elle est à Pampelonne pour le tournage de *Two for the road*, un *road trip* qui évoque les infidélités d'un couple dans une mise en scène moderne qui rappelle la nouvelle vague. Le film s'achève à Saint-Tropez où les deux protagonistes retrouvent l'amour. Tout comme Audrey Hepburn et son partenaire du film, l'acteur anglais Albert Finney, de sept ans son cadet, qui vivent en toute discrétion une aventure à l'Épi. Mais surtout, c'est chez moi que la star hollywoodienne se rend compte qu'elle n'est plus à la page et qu'elle décide de se relooker, passant un peu tardivement des *fifties* aux *sixties*. Elle qui disait « Pourquoi changer ? Chacun a son propre style. Une fois que vous l'avez trouvé, tenez-vous-y » change radicalement en s'écriant : « Toute convention est rigidifiante, je pense qu'il faut éviter d'être rigide, cela vieillit ! » Cela irrite la presse féminine plutôt chic et conservatrice : « Audrey Hepburn qui swing ? Vous plaisantez », titre le *Ladies' Home Journal*, sur fond de polémique au sujet de scènes très dénudées et avec les minijupes qui s'imposent. Elle se défait enfin du cocon tiré à quatre épingles dans lequel on l'avait cantonnée, se sépare de ses robes Givenchy et embrasse un look Mods plus au goût du jour. Chez moi, elle retrouve sa liberté et vit un été heureux et passionné, à l'abri de tout regard indiscret.

Parmi les nouveaux habitués de l'Épi, l'un est particulièrement apprécié par Albert, qui l'a même engagé dans son laboratoire pharmaceutique : le frère de Françoise Sagan, Jacques Quoirez, pas encore quarante ans. Jacques n'est jamais loin de sa petite sœur, avec qui il partage le goût des excès et des voitures de sport. Il débarque à Saint-Tropez au volant d'une Lamborghini Flying Star II customisée, propulsée à des vitesses prodigieuses par un V12 de 320 chevaux. Il crée l'ambiance à l'Épi avec la bénédiction de son patron qui le tutoie et avec lequel il s'amuse sans retenue. Mais derrière l'employé des laboratoires Toraude et le convive divertissant de l'Épi, Jacques Quoirez cache une face plus sombre. Proche de Madame Claude, il est chargé de « tester » les prostituées avant leur « dressage » de marchandes ou plutôt d'esclaves d'amour. Sa seule œuvre littéraire sera d'ailleurs le script d'un livre sur Madame Claude et ses filles, *«Allô oui» ou les Mémoires de Madame Claude*[1]. Cette spécialisation s'avère du plus grand intérêt pour Albert, constamment à l'affût de jeunes créatures aux mœurs légères. Les filles qui passent le casting de Quoirez transitent par la «chambre des minettes», adjacente aux quartiers de Debarge, qui aime les initier aux drogues avant de les consommer. On fume quelques joints, on avale un buvard de LSD ou encore l'héroïne de qualité pharmaceutique qu'Albert n'a aucun mal à obtenir.

Il est loin le temps où les compétitions de Star procuraient à Debarge suffisamment d'émotions pour pimenter sa vie. Filles de joie, drogues, bolides… il est désormais à la recherche de sensations toujours plus extrêmes. Avec ses deux Riva Aquarama, il sillonne la baie dans une gerbe d'écume affolant les baigneurs avec les vagues qu'il crée. Biker, il roule sur une grosse et puissante MV Agusta, la même que Giacomo Agostini, champion du monde 1966. Lorsqu'il file sur la route des plages, avec ses lunettes noires et son casque orné d'un drapeau US, le moteur débridé poussé au max, c'est *Easy Rider* version tropézienne. Le cascadeur Paul Bruni, qui a notamment doublé plusieurs scènes du *Gendarme de Saint-Tropez*, le connaît bien. Un jour qu'il lui

1. Stock, 1975.

demande pourquoi il a toujours sur lui une sacoche avec six mille francs en liquide, somme importante pour l'époque, Debarge lui répond : « Tu vois, si je tombe en panne, j'en rachète une autre ! »

À la fin de l'été 1966, si je faisais le point sur ces toutes dernières années, je comprendrais que l'ambiance s'est peu à peu assombrie. J'ai vu le bon docteur Debarge se transformer en mister Barjot. La fête commence à devenir moins joyeuse, moins naïve. La drogue a donc fait son apparition, à l'Épi comme dans la société. Je suis toujours un laboratoire de l'avant-garde, un lieu d'expérimentation à la pointe de cette deuxième partie des années 1960. L'année prochaine, en 1967, je fêterai mes huit ans. Ai-je l'âge de raison, vraiment ?

7

1967, l'âge de déraison

Albert Debarge a cinquante et un ans. Son laboratoire connaît un succès fulgurant et réalise cent vingt-quatre millions de francs de chiffre d'affaires en 1967. Ses enfants ne sont ni prêts ni motivés pour prendre la relève. Et puis, il a pris goût au train de vie de *rock star* et entend y consacrer le temps et les moyens nécessaires. Debarge souhaite donc vendre sa société. Rapidement, il reçoit des propositions. Les Américains se montrent les plus offrants, profitant de conditions très favorables pour investir en France et en Europe, où les monnaies sont dévaluées. La croissance y est plus forte qu'aux États-Unis et des secteurs stratégiques sont accessibles.

Au cours de son premier mandat de ministre des Finances (1962-1966) sous la présidence de De Gaulle, Valéry Giscard d'Estaing fait tout pour empêcher cette prise de contrôle de secteurs stratégiques de l'économie par des investisseurs non européens. Il demande aux membres de la Communauté économique européenne d'adopter des mesures restrictives sur les investissements étrangers. Mais la France n'obtient pas le soutien de ses partenaires, dont l'Allemagne qui voit dans cette initiative un anti-américanisme français typique et qui depuis le plan Marshall salvateur ne s'oppose pas aux États-Unis. Une vaste campagne américaine d'investissement est mise sur pied.

Alors, plutôt que de laisser filer le fleuron de l'industrie pharmaceutique, le gouvernement tente d'interdire la vente de la prospère entreprise Toraude, envisageant même de la nationaliser. Mais Albert Debarge est habile. Il parvient à surmonter l'obstacle de l'intérêt national en créant une société à Malte, une coquille vide qui lui permet finalement de boucler l'affaire avec les Américains. Son laboratoire est vendu au géant américain Richardson Merrel. Quinze millions de dollars US lui tombent dans la poche, une somme très importante en 1967. Peut-être le ministre concerné ne le lui pardonnera-t-il pas. Les problèmes de drogue d'Albert Debarge sont bien connus depuis des années, mais jusqu'à présent ni la police ni l'État ne cherchaient à le coincer. Le vent va tourner pour Albert.

Avec la vente de sa société, Debarge largue les amarres. Il quitte le monde du business pour rejoindre à temps plein celui des amis et de la fête. Son compte en banque est mieux garni qu'il ne l'a jamais été, et il s'installe cet été-là à l'Épi Plage avec pour seul objectif de profiter de la vie et de ne rien se refuser. Il ne cessera d'ailleurs d'encourager ses fils à le suivre dans cet art de vivre basé sur le plaisir et à la limite de la roue libre. L'ancien homme d'affaires devenu l'intouchable roi de l'Épi et de Saint-Tropez accueille ses hôtes, rayonnant. Les générations continuent de se mélanger avec plaisir, liées par le désir, l'argent, la drogue et la fête.

Les Debarge savent recevoir. Ils organisent la propriété avec style et s'assurent que leurs hôtes ne manquent de rien. Brigitte Bardot fréquente toujours l'Épi. On y croise aussi Marie Laforêt, six ans après le mythique tournage de *Saint-Tropez Blues*. Elle se baigne dans la piscine mosaïque avec le mannequin Sophie Litvak et le prince Ruspoli, dandy hédoniste et acteur à ses heures. Durant cet été, on croise aussi Mireille Darc, Sylvie Vartan, les Pompidou qui viennent avec leur ami Guy Béart, et bien sûr les habitués de la première heure comme Annabel et Bernard Buffet. Je suis devenue une sorte de *factory* tropézienne, où se croisent esprits brillants, artistes et performers, dans un joyeux éclectisme.

En Tropézien d'adoption, Eddie Barclay a pris ses habitudes chez moi, où il vient souvent accompagné par les jeunes chanteuses à la mode dont il se fait le pygmalion. Déjà tout de blanc vêtu, une coupe de champagne à la main quelle que soit l'heure, il s'agace de voir ses protégées tomber dans les bras des fils Debarge. « Écoute Eddie, lui lance Albert, maintenant qu'on est des vieux cons, il ne nous reste plus qu'à payer. » Heureusement Jacques Quoirez n'est pas loin.

Du côté des jeunes, la bande de Philippe et Olivier s'est étoffée. Alix Chevassus a été rejoint par quelques nouveaux visages comme Jean-Noël Grinda, séduisant tennisman qui a participé aux tournois du grand chelem et qui a joué dans l'équipe de France de coupe Davis. Mais le beau jeune homme est un peu trop bon vivant pour faire une longue carrière sur les courts, même si on le voit jouer sur les terrains de l'Épi déguisé en fille aux côtés d'Olivier et Philippe. Il y a surtout Johnny, l'idole des jeunes, qui triomphe avec « Hey Joe » et qui trouve chez moi entre deux concerts un peu de répit dans une vie artistique et sentimentale mouvementée. Il était venu se reposer dans un de mes bungalows quelques mois plus tôt, en pleine dépression. Philippe et Olivier l'avaient aidé à reprendre goût à la vie, et il est vite devenu très proche des fils Debarge. Tous ensemble, au guidon de leurs motos pétaradantes ou au volant de sublimes cabriolets de sport, ils continuent d'écumer les nightclubs et d'en ramener les plus jolies filles pour leur plaisir mais aussi pour celui des plus âgés, Albert Debarge en tête.

Pourtant, Philippe est amoureux en cet été 1967. Depuis des années, il proclamait que France Gall était le fantasme de chaque homme… La jeune star montante de la chanson française était en tout cas le sien et elle s'est réfugiée dans ses bras après s'être séparée de Claude François avec lequel elle avait séjourné chez moi, dans l'un des bungalows mis à disposition par Philippe à Claude. France et Philippe filent un amour léger, la jeune femme appréciant la douceur et les manières de gentleman qui contrastent avec le caractère difficile et parfois violent de Claude François. Mais France semble toujours un peu absente. Elle sait déjà que Philippe n'est pas le bon choix. C'est un agréable compagnon, mais qui manque à ses yeux d'envergure. Le farniente qu'il apprécie, le fait qu'il vive aux crochets de son père… Comment admirer un assisté ? se demande-t-elle.

Dès ce mois de juin 1967, le soleil brille et on se presse à l'Épi. Toute la journée, c'est un va-et-vient incessant de peaux bronzées entre le bar, la plage et la « poêle à frire ». Devançant la libération des mœurs qu'apportera 1968, les corps sont de plus en plus dénudés. Autour de la piscine tout un jeu gracieux se déploie. De jeunes et belles créatures brûlantes plongent leurs corps de déesse dans l'eau turquoise étincelante. Bienvenue au paradis des plaisirs, de la beauté, mais certainement pas de la vertu. « C'est sûrement un rêve érotique / Que je me fais les yeux ouverts / Et pourtant si c'était réel [1] ?... » à croire que la belle Anna Karina susurre juste pour moi les paroles de Gainsbourg, qui découvrira justement l'Épi cet été-là.

Allongé au bord de la piscine, sous un parasol, un homme observe attentivement ces jeux de séduction entre les puissants, les play-boys et les beautés.

Jean-Emmanuel Conil, alias Alain Page, vient régulièrement chez moi depuis plusieurs saisons. Il se fait le discret témoin de toutes sortes d'intrigues, de dérapages, de tromperies, de désirs et d'intérêts qui se croisent et tissent des liens pas toujours clairs entre les générations. Ces journées passées à l'Épi Plage l'inspirent, et il en tire un roman, *La Piscine*, qui servira de scénario au film éponyme de Jacques Deray avec Romy Schneider, Jane Birkin, Maurice Ronet et Alain Delon, qui sera tourné à quelques kilomètres de l'Épi et sortira en 1969. Ce roman reflète en partie

1. « Sous le soleil exactement », de Serge Gainsbourg, interprété par Anna Karina dans la comédie musicale *Anna*, de Pierre Koralnik (1967).

l'ambiance délétère qui règne chez moi actuellement. Deux générations se côtoient : d'un côté des jeunes gens tout juste sortis de l'adolescence, de l'autre des personnages plus mûrs, blasés, mais soucieux de rester dans le coup. Tout cela dans un huis clos sexy mais pesant, avec la mort et le crime rôdant aux alentours.

La mort, en effet, frappe l'Épi très tôt. Mi-juin, Alix Chevassus a débarqué chez moi fier de sa nouvelle conquête, l'actrice Françoise Dorléac. La sœur aînée de Catherine Deneuve est en pleine ascension. Elle était déjà venue, il y a plusieurs années, accompagnée de Jean-Pierre Cassel. Ils aimaient y danser au rythme de Sacha Distel et de son orchestre, souvent avec Nelly.

En ce tout début d'été, Françoise et Alix sortent beaucoup, l'Épi Plage puis le Byblos avec Philippe Debarge, France Gall et toujours Christine Haas.

Le 26 juin, Françoise Dorléac est chez moi. Manifestement stressée, mais poussée par son professionnalisme et son ambition, elle décide de se rendre immédiatement à Londres assister à une avant-première des *Demoiselles de Rochefort*, film dans lequel elle vient de tourner avec sa sœur, Catherine Deneuve. Alix Chevassus tente de l'en dissuader, ce qui entraîne une dispute. Elle se trouve dans le bungalow n° 3 lorsqu'elle prépare en toute hâte sa valise. Pas question qu'elle rate son avion. Elle se précipite dans sa Renault 10 d'occasion, son chihuahua sous le bras, quitte le parking face au tennis en faisant gicler le gravier. Alix la regarde s'éloigner, sans savoir qu'il ne la reverra jamais.

La chaussée est glissante mais qu'importe, Françoise dépasse les voitures sur la route sinueuse du Muy. En direction de Nice, elle pointe à 110 km/h, anxieuse et pressée. C'est à la bretelle, tout près de l'aéroport, qu'en dépassant une dernière voiture trop brutalement sa Renault fait un tête-à-queue et va s'encastrer dans un poteau de béton. La voiture prend feu, mais Françoise, toujours consciente, ne parvient pas à se dégager. Rog G., seul témoin, la voit s'agiter et croise son regard qui semble le supplier. Deux heures plus tard, le corps calciné de la jeune femme est extrait de la tôle. Françoise avait vingt-cinq ans.

À l'Épi, la nouvelle fait l'effet d'une bombe. Alix Chevassus, Bob Zagury, les Debarge, tous accusent le coup. Ils s'étaient persuadés que mes murs de canisse les protégeraient des drames, que j'étais un rempart au malheur, qu'on pouvait ici commettre les pires folies, les imprudences les plus périlleuses sans que cela prête à conséquence, et voilà que la mort frappait à la porte. La tristesse et le deuil s'invitaient à la fête. La jeunesse et la beauté n'étaient pas invulnérables. Ils étaient sonnés.

Mais dans le tourbillon de l'Épi, la vie reprend vite ses droits. L'alcool, la drogue, les nuits blanches vont faire passer la gueule de bois.

Cet été 1967, Saint-Tropez est rattrapé par la vague hippie. Le grand scandale du mois de juillet est la pièce écrite par Picasso en 1944 mais jamais jouée auparavant, *Le Désir attrapé par la queue*, que Jean-Jacques Lebel, auteur et créateur de happenings, crée sous un chapiteau. Les acteurs à demi nus, le texte surréaliste et la première partie assurée par le groupe de rock psychédélique Soft Machine, alors inconnu, scandalisent les Tropéziens et les estivants plutôt bourgeois qui fréquentent la presqu'île. Le maire tente d'interdire le spectacle, les groupes électrogènes sont sabotés à coups de fusil. Mais il est déjà trop tard. La pièce est un succès. Des hordes de jeunes hippies désireux de changer le monde déferlent sur la région. Des happenings où tous jettent leurs vêtements, allumés au LSD et aux joints, diffusent une culture alternative et le goût du trip musical.

De retour en France après un premier reportage au Vietnam, Sean Flynn veut tourner un documentaire sur le phénomène. En plein « *Summer of Love* », au volant de la Mini Cooper jaune qu'il vient de s'offrir, il trace depuis Paris vers l'Épi où il rejoint son copain Tim Page, connaissance de Lebel et photojournaliste légendaire qui inspirera le personnage de Dennis Hopper dans *Apocalypse Now* de Francis Ford Coppola, en 1979. Sean et Tim se sont rencontrés au Vietnam, en reportage. Quand il arrive, Saint-Tropez est en ébullition. Le public est complètement transporté par le show psychédélique des Soft Machine et la pièce étrange de Picasso qu'on croirait écrite sous acide : « [...] les deux Toutous criant leurs aboiements lèchent tout le monde couvert de mousse de savon sautent hors de la baignoire et les baigneurs habillés comme tout le monde à l'époque sortent de la baignoire seule la Tarte sort toute nue mais avec des bas – ils apportent des paniers pleins de victuailles, des bouteilles de vin, des nappes des serviettes, des couteaux des fourchettes - ils préparent un grand déjeuner sur l'herbe - arrivent des croque-morts avec des cercueils où ils enfournent tout le monde – les clouent et les emportent[1] [...] »

Moi qui ai toujours été à la pointe de tout, je ne pouvais évidemment pas rester en marge d'un tel phénomène, qui commence à intéresser la jet-set et les branchés tropéziens. Aussi, il y a foule chez moi le 13 août, lorsque Eddie Barclay et les Debarge organisent un happening Soft Machine inédit, « La Nuit Psychédélique ». « Venez tatoués de façon démente », mentionne l'invitation. On y croise Bardot, Michèle Morgan, Jean-Luc Godard ou Alain Delon. Mais c'est pour la musique et pour l'ambiance que cette soirée mythique restera gravée dans l'histoire du rock

1. Pablo Picasso, *Le Désir attrapé par la queue*, Gallimard, 1945.

psy. Pendant plus d'une heure, Soft Machine joue un « We Did It Again » samplé. Le public éparpillé sur la pelouse et autour de la piscine semble pulvérisé. Les corps à moitié dénudés sont peints de fleurs et de symboles psychédéliques. On se procure sans difficulté de petits buvards d'acide et Albert Debarge ne s'en prive pas. Chargés à bloc de LSD, comme beaucoup de convives, Sean et Tim n'ont finalement rien filmé. Les boucles des Soft Machine les font planer. Le trip les emmène très haut, très loin. Tout à coup, ils revivent en flash-back des situations de guerre. Il faut fuir, se dit Tim dans un sursaut de lucidité. Mais dans leur délire les dunes se transforment en murailles, ils sont prisonniers, pris au piège, retenus à l'Épi, à la merci de la foule devenue hostile avec ses visages peints et ses déguisements absurdes. Ils auront finalement le plus grand mal à s'extraire d'Épi Plage.

Jeune journaliste, Philippe Bouvard témoigne dans *Le Figaro* de ce happening insensé. Son article, rédigé pour un lectorat très éloigné de l'esprit *peace and love* est assez méprisant. Il décrit « un groupe de musiciens vêtus de peaux de bêtes, coiffés de casques de moto, chantant sans cesse chérie je t'aime ou quelque chose du même genre ». C'est « la fin d'une civilisation », conclut-il ! Quant à Sean Flynn, capturé et exécuté par les Khmers rouges alors qu'il était en reportage en 1970, « La Nuit Psychédélique » aura sans doute été l'une de ses dernières grandes fêtes à Saint-Tropez.

Mais n'en déplaise à Bouvard, rien n'est encore terminé, et l'année me réserve encore une belle surprise. Le 28 septembre, pour son trente-troisième anniversaire, Brigitte Bardot, au sommet de sa beauté, organise une journée et une nuit à l'Épi Plage à l'invitation d'Albert.

Ce happening fait l'objet d'un film d'une heure, *Le Bardot Show*, réalisé par Bob Zagury dont BB est séparée. L'année précédente, Gunther Sachs a en effet piqué la petite amie de Bob avec laquelle il vit pour l'instant le grand amour. Les trois amis sont restés en bons termes et le tournage peut s'opérer chez moi. On y improvise des scènes inspirées des années 1920 autour de la piscine ou avec la vieille Rolls, au bar avec Claude Brasseur, ou encore dans le petit salon où des scènes émouvantes sont tournées, Manitas de Plata jouant devant une Brigitte fascinée. Sa complicité avec le gitan, ses mouvements naturels et libres au son de la guitare andalouse révèlent l'attachement profond de Bardot pour cette culture. Elle est séduite par Manitas : ses mains, sa vitesse, sa puissance musicale la troublent. Et il n'y a pas que lui. Sous la caméra de son ancien amant, surveillée de près par Gunther, Brigitte devient la muse de Serge Gainsbourg. Sans doute déjà amoureux, Serge lui écrit ses plus belles chansons. Brigitte lui demande un titre pour le show et, dès le lendemain, Gainsbourg lui offre « Harley Davidson ». Quelques jours plus tard, il crée « Bonnie and Clyde », peut-être soufflé par le côté caché voire clandestin de l'Épi qui peut évoquer les grandes heures de la prohibition aux États-Unis. Ce bouillonnement créatif déclenche une confidence de Serge à Zagury : « On n'a jamais rien fait d'aussi beau, Bob ! » Peu après, le mariage de Gunther et Brigitte s'éteint, et elle part rejoindre Gainsbourg.

Le Bardot Show, témoin de ce moment charnière de la vie de BB, tourné en grande partie chez moi, sera diffusé sur la chaîne nationale le 1er janvier 1968.

Une fois encore, je finis l'année sous la lumière des projecteurs. Bardot a exposé au monde ce qui fait mon charme et assure mon succès : je suis au cœur de la plus branchée des plages, Pampelonne, tout en étant assez intime pour que la plus belle femme du monde y fête son anniversaire. Mais 1967 est aussi une année charnière pour moi. « La Nuit Psychédélique » a introduit une nouvelle dimension festive et Debarge a définitivement largué les amarres de sa première vie, se lançant dans une quête effrénée du plaisir par tous les moyens. Le tournant que je viens de prendre va-t-il causer ma perte ?

8

1968-1969, *sea, sex, drugs and rock'n'roll*

En 1968, tandis qu'à Nanterre les étudiants démarrent la contestation en exigeant que les garçons aient accès aux dortoirs des filles, Albert Debarge, pour qui la libération des mœurs est un vieil acquis, veut transformer mon paysage de plage et de dune en oasis. Il lui faut du vert pour parfaire la composition en blanc et bleu que forment le sable et la piscine. Mais comment faire pousser quoi que ce soit ici, dans ce désert ? Rien n'est impossible pour lui. Avec les moyens quasi illimités qui sont les siens, il fait venir par camions entiers de la terre qui est répartie sur la centaine de mètres qui sépare les bâtiments de la dune. On plante du gazon « kikuyu », une variété africaine sélectionnée pour sa résistance au climat et sa facilité d'acclimatation. Lors de l'opération de terrassage, on exhume les témoins des dix premières années de folie de grandeurs que j'ai connues : un véritable cimetière de langoustes, montagne de carapaces rejetées par les orgies qui se sont déroulées ici.

En mai, les travaux à peine finis, Johnny débarque, de retour d'une tournée en Amérique du Sud. Il est ici comme chez lui : pendant le tournage de l'anniversaire de BB, il avait fait le show en montant un pur-sang à cru et gratté la guitare avec Philippe avant d'enchaîner une partie de baby-foot avec Bardot.

Mais là, il commence à trouver le temps long. Avec les émeutes estudiantines à Paris, coincé loin de l'agitation, il tourne en rond entre la piscine de l'Épi et le Café des Arts. Alors, pour s'occuper, il se laisse aller à quelques gamineries avec son vieil ami et mentor Jo de Salernes : tous deux s'attaquent à la mairie de Saint-Tropez et enferment le maire dans la cave. Au moment du discours du général de Gaulle, un défilé absurde est improvisé sur la place des Lices, orchestré par Johnny, Jo et Jacques Chazot. Avec sa Ferrari, il perpétue une tradition locale : la course avec Philippe Debarge, qui possède désormais la première Excalibur 5 litres de France, un vrai bolide. Comme Sachs et Vadim quelques années avant, ils partent de chez moi et foncent côte à côte sur la route. Ou encore, il affirme à son parolier Georges Aber que les Everly Brothers sont dans la région et qu'ils souhaitent collaborer avec lui. Enthousiasmé par cette nouvelle, Aber trouve le moyen de rejoindre Saint-Tropez en voiture depuis Paris. Une fois sur place, Johnny lui explique que les Everly Brothers ne pouvaient plus attendre et qu'ils étaient repartis...

Mais Johnny ne regrettera pas son séjour à l'Épi, où il connaît une aventure restée mythique à ses yeux. Il est depuis toujours fan de James Dean dont il admire le jeu, la gestuelle et le profil rebelle. Dans *La Fureur de vivre* (1955) de Nicholas Ray – un film culte pour Johnny –, James Dean partage l'affiche avec Natalie Wood, sa fiancée de cinéma. En la voyant, Johnny était tombé fou amoureux de son personnage et il s'était inspiré du film et de ses acteurs pour modeler son propre jeu. Durant cet été 1968, Natalie Wood est à Saint-Tropez. Johnny séjourne à l'Épi Plage dans le bungalow n° 3. Un soir, au Papagayo, les deux vedettes se croisent. Johnny fait le premier pas et va saluer son idole. Le courant passe entre eux, si bien qu'ils repartent ensemble chez moi. Ils finiront la nuit entre la piscine, la plage et le bungalow. Le lendemain, Natalie Wood repartira. L'histoire d'amour ne devait durer qu'une nuit.

Autre star présente cet été-là : Alain Delon, en plein tournage de *La Piscine*, ce film directement inspiré des rapports troubles entre les générations qui se côtoient à l'Épi. Delon a déjà ses habitudes chez moi où Debarge le reçoit volontiers : il avait assisté à « La Nuit Psychédélique » l'année dernière et les deux hommes s'apprécient suffisamment pour que l'acteur expose à Debarge des problèmes qu'il commence à rencontrer avec le jeune yougoslave au passé un peu mystérieux qui le suit partout. Stevan Marković, sans doute un ancien espion yougoslave un temps au service de Tito, a trouvé refuge en France et réussi à se lier au couple Delon devenant une sorte d'intime, ou de valet, ou de garde du corps qui éprouve une réelle admiration pour Alain.

Chez moi, Stevan Marković fait le joli cœur, le bel homme drôle. Il amuse tout le monde, surtout les dames, par ses mouvements de nageur pro, ses aptitudes et son habileté physique. Stevan est aussi un joueur et les casinos de la côte sont ses terrains de jeu. Lorsqu'il perd trop d'argent, il n'hésite pas à faire le gigolo dans l'un des bungalows pour pouvoir repartir jouer.

Mais après deux ans à son service, l'homme n'amuse plus Delon. Il confie à Debarge qu'il aimerait se débarrasser d'un Marković toujours plus encombrant, qu'il soupçonne même – à raison – de coucher avec sa femme. Il ne supporte plus ses aises et son manque de pudeur. Delon lui signe des fiches de paie pour s'en débarrasser, écrit une lettre de recommandation et lui trouve même un travail, mais le dandy yougoslave ne veut rien savoir. Pas question de retomber dans la vie ordinaire, il ne veut pas renoncer au paradis de l'Épi, refuse de quitter ses idoles, les riches, les puissants, les belles. Jamais. Alors il s'accroche, faisant valoir quelques arguments : il laisse entendre qu'il possède beaucoup de clichés, témoins de fêtes et des orgies passées, notamment à l'Épi Plage, où le paradis prenait parfois l'aspect d'un torride enfer. Il a aussi subtilisé le carnet d'adresses de Nathalie Delon et d'autres éléments potentiellement compromettants pour quelques-uns de ceux qui me fréquentent.

Le jeu du svelte Yougoslave n'est pas du goût de Marcantoni, un autre proche de la bande de Delon qui leur rend souvent visite. Pour le Corse, ce n'est qu'un fou du roi, un clown sans valeur. Authentique résistant pendant la guerre, Marcantoni s'était ensuite reconverti en braqueur de banque. Dans mon jardin, assis sur des sièges en osier, Delon et lui conversent longuement. Il a beau être peu fréquentable, Marcantoni est accueilli dans l'euphorie par la petite communauté de l'Épi. Son côté mauvais garçon enchante les femmes, lasses des minets et des bourgeois. Et puis… sans doute vient-il les poches pleines de petites gâteries, des stupéfiants dont certains de mes hôtes raffolent.

Debarge observe Delon et ses amis de la pègre qui prennent leurs aises chez moi, écoute, puis se replie, sans rien dire, au bar ou dans ses appartements. Il fréquente moins les terrasses et passe des heures dans le petit jardin secret clos de murs qu'il s'est fait construire derrière sa chambre, ombragé par un oranger. Il semble déjà loin le temps où le flamboyant ex-pharmacien accueillait ses hôtes en amis et animait le bouillonnement intellectuel et artistique de l'Épi. Il paraît fatigué, nerveux. Il organise moins de ces grands dîners somptueux qui réunissaient sous mon ciel étoilé le gratin de Saint-Tropez, lors desquels il trônait en maître à un bout de la longue table, souriant, un œil sur chacun de ses convives, son esprit brillant attentif à laisser se déployer l'énergie festive et intellectuelle qui me caractérisait.

Deux choses semblent l'amuser encore. La drogue d'abord qu'il consomme de plus en plus fréquemment. Et les filles, jeunes, qu'il initie à quelques substances interdites, puis à l'amour. Des filles de passage ramenées de boîte par la bande. Ou d'autres jeunes maîtresses plus régulières, comme Françoise J., la toute jeune femme d'un haut fonctionnaire, qu'il approvisionne en substances illicites auxquelles elle est désormais accro et à qui il a offert un appartement pour la garder sous la main. Des ragots commencent à se répandre de Saint-Tropez à Ramatuelle, en passant par Paris. Un jour, au petit matin, on aurait retrouvé sur la plage, non loin de ma dune, une jeune femme ayant perdu connaissance, des suites d'une prise excessive de drogue. Les regards se tournent vers moi, on murmure que cette inconnue sortait de l'Épi Plage, mais Albert ne sera jamais inquiété. Affaire classée.

Debarge s'en fout. À l'abri de mes murs, il se sent intouchable. Même si quelques-uns des habitués commencent à prendre leurs distances, d'autres personnalités lui donnent le sentiment d'être encore au centre du monde. Des nouveaux venus qui partagent certains de ses goûts. On le voit par exemple de plus en plus avec le prince Dado Ruspoli qui, comme Debarge, a un penchant pour les paradis artificiels. Play-boy et véritable incarnation de la dolce vita, ami de Vadim, Jane Fonda, Orson Welles, Cocteau, Picasso, des Rolling Stones et de Fellini – qui s'en inspire pour l'un de ses personnages iconiques –, Ruspoli est un aristocrate excentrique. Toujours accompagné de créatures sublimes, il aime se balader pieds nus sur le port, en pantalon flashy et les cheveux teints de mèches bleues ou rouges, dix ans avant les punks. Avec lui, Debarge se sent en confiance, prêt à partager de longues discussions un peu allumées mêlant les arts, le yoga, les drogues et la mode.

En cet été 1968, je suis donc moins rayonnante que je l'ai été. Entraînée dans un repli sur le sexe et la drogue par Debarge, fréquentée par de mauvais garçons, je deviens un peu sulfureuse. D'autant qu'un scandale retentissant va éclabousser certains de mes habitués.

Le 1er octobre 1968, on retrouve le corps de Stevan Marković décomposé dans une housse, montrant des coups au visage et sur le corps, exécuté d'une balle dans la nuque. Les suspects sont nombreux. Et parmi eux, Alain Delon, son ancien protecteur qui, comme dans *La Piscine*, est interrogé par les enquêteurs à Saint-Tropez, où il tourne précisément le film, à quelques kilomètres de chez moi.

Rapidement, les rumeurs sur Marković vont bon train. Aurait-il été liquidé pour avoir tenté de faire chanter des stars, des politiques, un ministre, un futur président ? Le nom de Claude Pompidou, qui connaît bien l'Épi, ses soirées et sa « poêle à frire », est lâché en pâture à la presse. On la prétend libertine, dotée d'un appétit érotique hors du commun, amatrice de jeunes femmes et de parties fines auxquelles elle participerait avec des politiciens et des personnalités. Le journal d'extrême droite *Minute* s'empare de l'affaire : « L'ami des vedettes négociait très cher des photos compromettantes », notamment celles de « la femme d'un homme politique ». La rumeur grandit, alimentée par les ennemis de Pompidou au sein même de la police. Des photos truquées apparaissent, montrant Claude en pleine action. Les mésaventures du couple Pompidou sont perçues d'un mauvais œil par le gouvernement. Même le vieux patriarche, de Gaulle, se permet quelques commentaires désobligeants sur le teint, certes, doré mais salissant de son ministre et sur la réputation sulfureuse de sa femme.

Le mystère de la mort de Stevan Marković n'a jamais été élucidé. Inculpé de complicité d'assassinat, François Marcantoni a passé dix mois en prison avant de bénéficier d'un non-lieu. Delon a été placé en garde à vue et laissé libre. D'autres fréquentations de l'Épi seront interrogées par le juge : Nathalie Delon, Marie Laforêt, Mireille Darc... Mais l'assassin – ou les assassins – n'ont jamais répondu de leur crime.

Marković avait été témoin et acteur des excès et des folies de l'Épi Plage. Les partouzes, les jeunes filles qui se perdent dans les méandres de la « chambre des minettes », la présence de stars du cinéma, du couple Pompidou, de mafieux, de drogue, les dérapages des fins de soirée ou les relations troubles... peut-être cet espion de métier avait-il pris soin de conserver des clichés, vrais ou truqués, qui pouvaient servir à ses chantages. Il a emporté ses secrets dans la tombe. Seule reste la certitude qu'on a tenté d'exploiter sa mort pour nuire à Georges Pompidou et contrer ses ambitions politiques.

Si Albert se replie sur les minettes et la drogue, Philippe, lui, semble avoir trouvé sa voie dans la musique. Le fils d'Albert est un grand admirateur des Pretty Things, un groupe rock psy anglais qui connaît un succès notable et enregistre à Abbey Road, comme les Beatles et Pink Floyd. « La Nuit Psychédélique » organisée à l'Épi deux ans plus tôt l'a marqué, mais pour l'heure, il reste un play-boy rêvant d'une carrière de *rock star*.

En 1969, alors qu'il est encore le compagnon de France Gall, il se lance dans une aventure musicale étrange. Il contacte les membres des Pretty Things et leur fait une proposition insolite : il voudrait qu'ils réalisent un album avec lui, mais surtout pour lui. La composition des titres, l'instrumentation, la musique, les *back voices*, ce serait eux, tandis que lui ferait office de *lead singer*. Il est prêt à tout financer, notamment l'enregistrement en studio à Londres. Un rêve improbable de fils à papa, qu'il défend néanmoins avec une audace étonnante.

Cette proposition est *a priori* parfaitement inacceptable pour un groupe respecté et pourtant, les Pretty Things acceptent, du fait d'un remarquable concours de circonstances. Tout d'abord, Philippe sait se montrer très convaincant et charmeur et il incarne, pour le groupe qu'il va rencontrer à Londres, le sérieux, la passion, la détermination. De plus, en dépit de son manque total d'expérience, il s'avère être

Scène du film de Anatole Litvak, *Aimez-vous Brahms*, sorti en 1961, tournée dans l'Épi Club, avec Yul Brynner, Jean-Pierre Cassel, Sasha Distel, Maurice Druon, Moustache, Françoise Sagan.

Jean Castel et sa bande de l'Épi Club.

Album *Twist à l'Épi-Club*, de Bing Brummel & Paddy Pad & Les Démons.

Albert Debarge (1963-1972).

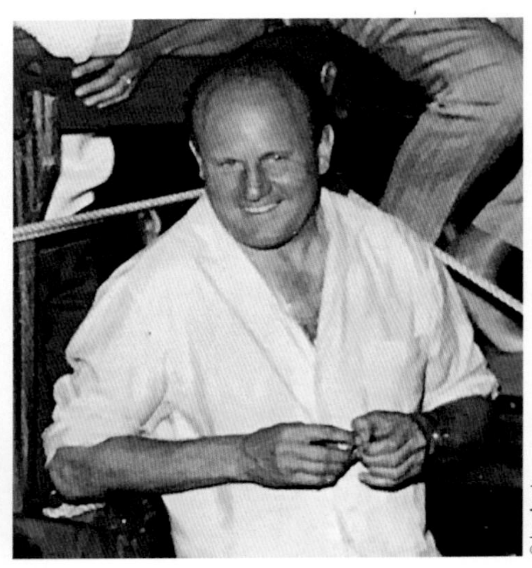

Jean Castel (1959-1962).

Shahla Mauch Deyhim (1982-2018).

Wolfgang Mauch (1972-1982).

L'Épi Plage et sa poêle à frire, été 1960.

Jeux et explosions en présence de Jean Castel et des membres du Club des Commandeurs, été 1961.

Fêtes nocturnes avec la bande de l'Épi Plage, été 1962.

François Guglietta, Jean Castel et leurs complices, juin 1960.

Soirée déguisée à l'Épi Plage, été 1962.

Jean-Pierre Cassel et Nelly Suchodolsky dansent, été 1960.

Une de *Paris Match*, Sasha Distel et l'Épi Plage, 13 Août 1960.

Sean Flynn et Albert Debarge participant à un jeu de limbo, été 1965.

Philippe Debarge, Brigitte Bardot et Albert Debarge lors d'un déjeuner, été 1966.

Déjeuner arrosé avec les frères Debarge, été 1964.

Philippe Debarge, Jean-Noël Grinda, Olivier Debarge après un match de tennis, 1965.

Alix Chevassus et les frères Debarge dans la Rolls-Royce de l'Épi Plage, 1964.

Olivier Debarge et sa bande en Harley Davidson, 1966.

Françoise Dorléac, Philippe Debarge et Alix Chevassus à Saint-Tropez, 1967.

Gunther Sachs, Brigitte Bardot, Philippe Debarge, 1967.

Eddie Barclay avec Marie-Christine à «La Nuit Psychédélique», le 13 Août 1967.

Brigitte Bardot et Claude Brasseur dans *Le Bardot Show*, 1967.

Duel Brigitte Bardot / Johnny au baby-foot, 1967.

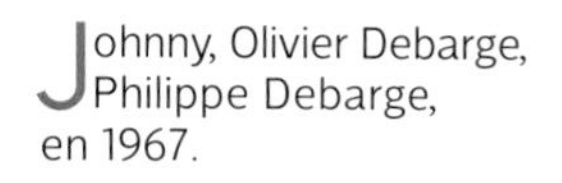

Johnny, Olivier Debarge, Philippe Debarge, en 1967.

Brigitte Bardot au bord de la piscine, 1967.

Mariage de Josiane et Albert Debarge à l'Épi Plage, en présence du procureur Paul Pageot, 1969.

Josiane et Albert marchant sur la plage le jour de leur union, 1969.

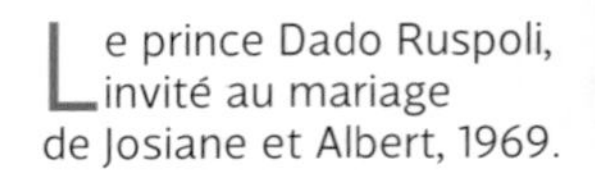

Le prince Dado Ruspoli, invité au mariage de Josiane et Albert, 1969.

Philippe Debarge et ses amis rock'n'roll dans la Mercedes, 1969.

détective

DEBARGE : Derriere l'honorable milliardaire se cachait un prince de la dolce vita

LIRE PAGES 2-3-4 et 5

PORNO-MODELE PAR INNOCENCE

Debarge à la une de *détective*, décembre 1971.

France Gall et Philippe Debarge lors d'un moment de détente, 1969.

Lothar Mauch, Paul Pallardy, Wolfgang Mauch, Philippe Salvet
et les Hommes Bleus sur la plage, 1970.

Lothar et les vendeuses
de la boutique Lothar's donnant
sur le port de Saint-Tropez, 1970.

Wolfgang et Lothar Mauch
devant la boutique Lothar's, 1970.

Soirée déguisée en présence de Pierre Séraqui, Afsaneh et Shahla Mauch Deyhim, 1977.

Ci-contre :
Soirée déguisée à la fin des années 1970.

Au milieu à droite :
Coco, le perroquet de l'Épi Plage, 1985.

Wolgang Mauch, Jean Todt, Étienne Vigoureux prêts pour le rallye, 1976.

Photos : collection Frederic Mauch

Wolfgang et Shahla profitant d'un après-midi ensoleillé avec Frederic et Vesta Mauch, 1973.

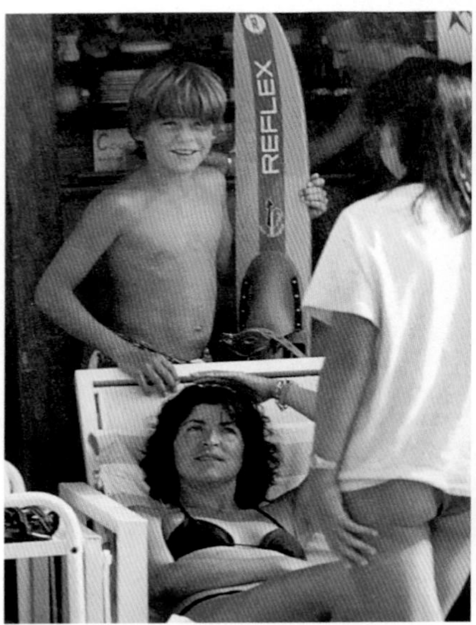

Frederic Mauch, Shahla Mauch Deyhim, Magdalena Diehl, 1983.

Au milieu à droite :

Marco et Alexandre, été 1985.

Wolfgang, Vesta, Marine, Beryl, Frederic devant l'avion de la famille, 1975.

Khayat, Johnny, Shahla, Mamad, 1990.

Silvester Stallone et Shahla, années 1990.

Michel Berger et France Gall, 1992.

Alexandre, Madonna, Shahla, 1987.

Photos : collection Frederic Mauch

Photos : collection Frederic Mauch

Création Studio Flammarion

L'ÉPI PLAGE

un bon *lead singer*, parlant anglais avec un accent excellent pour un Français à cette époque.

Le groupe des Pretty Things traverse alors une crise majeure. En dépit de débuts prometteurs qui les ont hissés dans l'élite pop des *sixties*, ils ne parviennent pas à confirmer ce succès, comme les Pink Floyd, par exemple. Avant de rencontrer Philippe Debarge, leur dernier album a été favorablement accueilli par la critique et les aficionados, mais n'a pas trouvé son public. Le chanteur a décidé de quitter le groupe. Ils en viennent même à produire anonymement, sous le nom The Electric Banana, de la musique de films d'horreur et de *soft porn* à petit budget.

Quand Philippe Debarge se rend à Londres, il a avec lui une mallette pleine de cash – ce qui n'est pas sans rappeler son père et sa sacoche contenant six mille francs... Sa proposition est donc tentante, puis elle s'impose comme une évidence. Il financera entièrement le projet grâce à la fortune de son père.

Les nouveaux partenaires programment un séjour d'une semaine chez moi pour y lancer leur projet. Les Pretty Things, Phil May, Wally Waller, John Povey et Skip Alan atterrissent à Nice. Philippe va les chercher dans une voiture avec chauffeur, ils arrivent à l'Épi de nuit. Wally Waller se souvient n'avoir eu aucune idée de l'endroit où ils se trouvaient. Le lendemain, en se réveillant et en ouvrant les volets de son bungalow il s'exclame : « *What a wonderful place.* » Il est impressionné par le parking des Debarge généreusement fourni en bolides, Ferrari ou Rolls Royce vintage. La vie des rockers londoniens, avec son lot d'alcool et d'herbe, s'adapte facilement aux charmes de Pampelonne, avec ses vins rosés, son soleil, ses piscines et ses balades en voitures de luxe.

Lorsqu'ils débarquent à Saint-Tropez dans la vieille Rolls pour dîner, tout s'arrange comme par magie – une sorte de tapis rouge virtuel les devance. Sur le port, Philippe arrête la voiture devant le restaurant, en sort sans même daigner fermer la portière et jette par-dessus son épaule les clés dans la main du voiturier. Le restaurant est bondé, pas une table de libre, mais rapidement le personnel congédie sans ménagement une tablée de six... Place est faite à Debarge junior et à ses illustres convives anglais. Ces derniers, plutôt hippies et de gauche, se sentent un peu gênés par ces manières d'un autre temps. Pourtant, ils rappelleront que Philippe n'abusait pas du pouvoir qui lui venait de son nom et de sa fortune. C'était avant tout quelqu'un qui voulait s'amuser et qui détestait la routine.

Quelques semaines plus tard, Philippe part rejoindre les Pretty Things à Londres pour enregistrer dans un petit studio de Marble Arch, Nova. Les musiciens lui montrent le matériel et lui enseignent les bases nécessaires. Philippe emporte les textes avec lui à l'hôtel et s'entraîne en s'aidant d'un petit magnétophone. Le lendemain, il revient au studio pour chanter et s'en sort très bien. L'album est finalisé en à peine six jours. Le groupe salue le professionnalisme et le talent du jeune artiste français un peu barré, mais intelligent et appliqué. Sur quelques titres, certains distingueront chez Debarge une sonorité proche de celle d'un Lennon.

Philippe quitte Londres pour Saint-Tropez en assurant au groupe que l'album sortira, grâce à ses contacts étroits avec des producteurs puissants tel qu'Eddie Barclay. Mais rien ne se fera. Sans doute Eddie Barclay n'a-t-il pas pardonné à Philippe d'avoir plusieurs fois séduit ses compagnes. Johnny Hallyday tentera vainement de convaincre Albert, qu'il appelle affectueusement papa, de s'occuper de la promotion de la carrière de Philippe. L'album, mort-né, disparaîtra durant plus de quarante ans. Des acétates abîmés referont surface dans les années 2007-2010 en Californie, sous le petit label Ugly Things Records, avant la sortie officielle en septembre 2017 de l'album baptisé *Rock St. Trop* ! Les titres comme « New Days », « Eagle's Son », « Graves of Grey » ou « All Gone Now » au son pop-rock psychédélique font résonner avec une franchise étonnante la révolte mais aussi la détresse profonde qui était celle du jeune Debarge. Sur la pochette, on retrouve Philippe entouré de Brigitte Bardot et de Johnny Hallyday, chez moi, à l'Épi Plage, témoins d'une époque révolue.

Les Pink Floyd, qui ne sont pas encore le groupe rock psy culte, sont souvent à Saint-Tropez. Quelques années auparavant, ils y avaient débuté dans la rue, David Gilmour faisant la manche aux terrasses des cafés en interprétant les morceaux incontournables du moment, les Beatles ou les Rolling Stones. Ils vivaient de peu de chose et s'entassaient dans un Combi Volkswagen garé près de la plage. Mais en quelques mois, ils explosent. Leur rock psychédélique unique s'impose aux quatre coins du monde mais aussi à Saint-Tropez. L'été 1970, ils loueront une maison dans la presqu'île pour composer un album, *Meddle*. Ils prendront leurs habitudes chez moi, où ils viennent déjeuner régulièrement, trouvant discrétion et inspiration. Cet album donnera notamment le morceau « San Tropez » : « As I reach for a peach / Slide a line down behind / A sofa in San Tropez… »

9

1969-1971, splendeur et décadence

Depuis quelques mois, Albert a enfin trouvé l'âme sœur. Josiane a vingt et un ans, un visage délicat encadré de cheveux blond-roux, de longues jambes fines de danseuse et le corps parfait d'une strip-teaseuse, le métier qu'elle exerçait à l'Alcazar, cabaret ouvert l'année précédente à Paris par Jean-Marie Rivière. Lorsqu'il présente la jeune fille à Albert, celui-ci ne se laisse pas arrêter par les trois décennies qui les séparent. Il connaît ses atouts : l'argent, le pouvoir, le charisme et bien entendu l'Épi Plage.

Mais Josiane, contrairement à beaucoup d'autres conquêtes qui ne succombent que pour ces arguments, est aussi assez « allumée ». Elle aime la fête et le champagne. Debarge et Josiane se retrouvent spontanément dans leur quête des plaisirs artificiels, haschich, héroïne, LSD. Rapidement le couple devient inséparable, et Albert semble retrouver une nouvelle jeunesse au bras de sa compagne. Leur entente ne se limite pas aux drogues. Il se murmure que Josiane, aussi ouverte en matière de sexualité qu'en matière de stupéfiants, rabat des très jeunes femmes dans la « chambre des minettes ». Albert et elle passent la nuit avec ces « conquêtes », après les avoir initiées aux différents produits dont ils disposent. Albert a enfin trouvé quelqu'un pour partager ses passions tristes et l'aider à y entraîner d'autres nymphettes, il exulte !

Très vite, ils décident de se marier. Debarge n'a pas de temps à perdre, il vit à mille à l'heure. Les festivités sont prévues en avril 1969, chez moi, où Albert a fait construire une seconde piscine d'eau de mer.

Albert n'est pas naïf : il voit que d'anciens amis commencent à l'éviter, qu'on murmure dans son dos qu'il est fini. Alors, il se dit que ce mariage sera l'occasion de faire éclater son bonheur à la face du monde et de montrer qu'il faut encore compter sur lui ! Il va faire les choses en grand. Pour organiser les festivités, il engage les meilleurs créateurs d'événements du Tout-Paris, Alain Duchemin et Georges Cravenne, le futur inventeur des César.

Plus de trois cents invités sont conviés : Eddie Barclay, le prince Dado Ruspoli, Bob Zagury, Moustache, Jacques Chazot, Annabel et Bernard Buffet, Régine, Jean-Noël Grinda, Guy Job, François Guglietta, Francine Distel, Guy Laroche, Sophie Litvak, Élizabeth Teissier… Debarge fait venir de Camargue toute une cavalerie. Il affrète des jets privés et deux caravelles pour amener les convives du monde entier, invités dans les hôtels de Saint-Tropez qu'il a privatisés.

Les mariés déambulent sur la plage de Pampelonne, devant chez moi, suivis par la Rolls débordant de fleurs blanches et escortés par plusieurs dizaines de gardians camarguais montés sur des chevaux blancs qui forment une haie d'honneur en pointant leurs longues perches coiffées d'un trident.

Entièrement habillé de noir, coiffé d'une curieuse casquette de la guerre de Sécession, Albert saute en selle et enlève Josiane en croupe. Sa robe de soie multicolore vole au vent. Le thème est « *hippie and chic* ». Le champagne coule à flots. Des musiciens gitans passent de table en table, faisant danser les convives ravis d'Albert. À plusieurs reprises, une patrouille aérienne vient faire des acrobaties au-dessus de l'Épi. En guise de dessert, certains invités piochent dans de larges coupes où sont ouvertement proposées des dragées de LSD, tandis qu'un feu d'artifice japonais illumine la dune.

La fête dure une semaine, aux frais de Debarge. Les trois cents invités ont table ouverte chez moi, au Byblos ou à Tahiti Plage, réquisitionnés pour l'occasion. Comme tout Saint-Tropez, la place des Lices vit au rythme d'Albert, Josiane et leurs invités. La discrétion n'est pas de mise. Au contraire, Albert entend que son mariage fasse le plus de bruit possible. Il a engagé le cinéaste François Reichenbach pour immortaliser l'événement. Duchemin et Cravenne, en attachés de presse vigilants, coordonnent les photographes et s'assurent des retombées médiatiques. L'homme d'affaires, le professionnel efficace de l'organisation affleure toujours sous le vieux play-boy junkie ! Selon le magazine allemand *Bunte*, qui publie un reportage, Debarge dépense plus de quatre cents mille marks pour ce mariage, somme considérable !

Debarge voulait que la fête soit une apothéose, le symbole de son retour en forme. Ce sera plutôt un chant du cygne. J'avais toujours réussi à protéger mes occupants, mais, pour son mariage, Albert a ouvert mes portes à tout vent. Il devenait de plus en plus difficile de le préserver du monde extérieur. D'autant qu'Albert commençait à être dans le viseur des autorités. Les rumeurs de ses turpitudes s'étaient répandues jusqu'au sommet de la hiérarchie policière, qui l'avait à l'œil. La vente des laboratoires Toraude, au nez et à la barbe de l'État qui aurait aimé l'empêcher, les soupçons de détournement de mineures, puis les éclaboussures de l'affaire Marković affaiblissaient peu à peu les protections de Debarge. Il se croyait pourtant invulnérable. Pas une seconde il ne s'est inquiété de voir Paul Pageot, procureur de la République, trinquer avec lui à l'Épi le jour du mariage. L'avait-il invité par inconscience, certain de sa toute-puissance, ou bien le procureur avait-il réussi à se glisser parmi les invités pour observer de plus près ce qui se passait ? Toujours est-il qu'il ne perdait pas une miette des saladiers de LSD, des doses d'héroïne ou des divers produits qui circulaient ouvertement. L'étau se resserrait.

Mais l'événement qui va déclencher la chute aura lieu un an plus tard, lorsqu'on retrouve un mort par overdose dans les toilettes du cabaret de Jean-Marie Rivière, l'Alcazar, à Paris.

Pour éviter le scandale, on exfiltre le corps roulé dans un rideau au beau milieu du spectacle, pour la plus grande joie des spectateurs qui croient à un numéro comique. Une enquête est ouverte par la brigade mondaine. La petite amie du mort, Françoise J., est prévenue. Françoise est l'une des anciennes maîtresses de Debarge. Une ingénue souriante qui avait été entraînée dans la « chambre des minettes », comme bien d'autres, sans se douter de ce à quoi elle s'exposait. Comme les autres, on lui avait fait goûter à la drogue. Des doses de plus en plus importantes, des drogues de plus en plus dures. En la voyant à l'Épi, les traits tirés et les yeux cernés, plus pâle et plus maigre de jour en jour, perdant sa joie de vivre, Françoise Sagan s'était apitoyée sur le sort de cette jolie fille, tout juste sortie de l'adolescence, qu'elle savait perdue si elle restait dans les bras de Debarge. Elle l'avait arrachée à l'enfer de son ami Albert et lui avait offert l'hospitalité.

Quand les policiers débarquent chez Françoise Sagan pour entendre sa jeune protégée, ils tombent en pleine scène dramatique : apprenant l'overdose de son ami, Françoise J. a tenté de se suicider. Médecins et pompiers s'affairent autour de son lit pour tenter de la sauver. Elle en réchappera, heureusement. Entendue par le commissaire Le Taillanter, elle déballe tout : Debarge, l'Épi, les fêtes sous acide, les drogues, les filles emmenées à la dérive… Le patron de la mondaine n'en perd pas une miette. Debarge est désormais dans son viseur.

Le Taillanter attend le moment propice : Debarge reste un homme en vue et il ne faut pas le rater. Lorsque, quelques mois plus tard, il apprend que Josiane va rentrer d'un voyage à Amsterdam, le commissaire décide de foncer. On l'arrête à Orly. On la fouille. Dans son sac, de la méthadone, de l'héroïne et du LSD. Les policiers débarquent au domicile parisien des Debarge, où ils trouvent Albert… et encore de l'héroïne. Direction l'Épi Plage. La police retourne les bungalows, le bar, le salon, la salle à manger. Dans la chambre froide, ils découvrent des armes. Et c'est finalement dans la salle de bains qu'ils décrochent le gros lot. Albert avait accroché au mur un hublot de bateau en bronze dont le fond s'ornait d'un tableau de voilier en mer, souvenir de sa vieille passion. Mais cette ode à l'évasion cachait une planque profonde où se trouvait le ticket vers une autre échappatoire, celle des paradis artificiels qu'il affectionnait tant : son stock personnel d'héroïne.

Inculpés d'infraction à la législation sur les stupéfiants, Albert et Josiane sont arrêtés et envoyés en prison. En découvrant avec stupéfaction la nouvelle dans la presse nationale qui s'en fait largement écho, quelques-uns des habitués de l'Épi tremblent. Ils voyaient, ils savaient, participaient parfois... Certains seront d'ailleurs inquiétés, comme le prince Ruspoli.

Debarge a encore des moyens et une armada d'as du barreau assure la défense du couple. Après trois mois de détention, ils parviennent, non sans mal, à obtenir la liberté conditionnelle des époux, dans l'attente de leur procès. Mais quand s'ouvre la porte de la prison, personne n'est là pour les accueillir. Naguère toujours entourés d'amis ou de connaissances, les Debarge sont seuls. Albert le magnifique, roi de Saint-Tropez, prince de la jet-set, ami des artistes et des puissants est traîné dans la boue par la presse, copieusement insulté et critiqué dans tous les cercles professionnels ou sociaux où il s'illustrait il y a peu. Déjà mis à mal par la détention et le sevrage forcé, l'humiliation fragilise encore plus Albert, qui perd 15 kg.

Sa vie se déroule désormais entre Paris et l'Épi où il s'isole. Naguère si animées, ma piscine et ma dune sont désertes. Plus de rires, plus de cris, plus de verres qui trinquent. Les moteurs des Ferrari, des Harley-Davidson, Norton, Rolls, Maserati ne tournent plus. Le silence règne. Innocents ou malsains, les jeux de séduction qui pimentaient mes jours et mes nuits sont désormais un lointain souvenir. Le mistral balaye la dune et fait grincer mes structures de bois. Plus que jamais, j'ai l'air d'un grand navire échoué sur la plage. Capitaine Debarge vit en reclus, essayant de reprendre le fil de son carnet de bord, regardant passer des fantômes autour de mes jardins.

Les gardiens filtrent les rares visites. L'une d'elles, inattendue, va décider de mon destin. En écoutant deux inconnus, Debarge comprend tout à coup ce qu'il doit faire. En quelques minutes, il choisit de tourner la page.

Il rentre à Paris, liquide ses dernières affaires. Le procès approche. Debarge le prépare avec ses avocats, puis retrouve Josiane dans un huis clos terrible, sur lequel pèsent le manque de drogue et le souvenir de leur bonheur passé. Si flamboyant quelques mois plus tôt, le couple vit isolé dans son grand appartement du boulevard Flandrin. Le 22 novembre 1972, en fin de matinée, Albert n'en peut plus. Josiane dort encore lorsqu'elle est réveillée par une détonation. Elle se précipite. Dans l'entrée, gît le corps d'Albert Debarge, un fusil dans la bouche, son cerveau brillant éclaté sur le parquet. A-t-il été liquidé à l'approche de son procès, de peur des révélations qu'il aurait pu y faire, lui qui avait assisté et promu les turpitudes de la jet-set et de certains politiques ? S'est-il donné la mort pour ne pas subir l'humiliation d'un jugement et d'une inévitable condamnation ? A-t-il eu peur de la prison ? La police conclura à un suicide. Le nom si célèbre de Debarge disparaîtra rapidement des conversations.

Quant à Philippe, qui avait tant aimé l'Épi, il poursuit dans l'ombre une petite carrière de punk rock. Il continue de collaborer avec les Pretty Things, cette fois en français. Il se produit avec son groupe Il Barritz sur la scène de l'Olympia en première partie des Sparks, compose un morceau punk rock pour Nino Ferrer, « Sud Express » (1971), et participe au festival punk de Mont-de-Marsan en 1976. Puis, en 1999, il suit les traces d'Albert jusqu'au bout. Il glisse dans sa bouche le fusil avec lequel son père s'était suicidé vingt-sept ans plus tôt et appuie sur la détente. Il avait cinquante-huit ans.

10

1971, un nouveau capitaine

En quelques minutes, à la fin de l'été 1971, Albert Debarge a donc pris la décision de me quitter pour passer ses derniers mois à Paris. Le capitaine abandonne le navire qu'il avait lui-même créé douze ans auparavant. Ou, plus exactement, il passe le relais, confie la barre pour une nouvelle traversée.

Ce fameux jour d'automne qui va décider de mon avenir, une jeune femme cajole son fils âgé d'à peine trois mois sur la plage, tandis que sa fille de deux ans s'acharne à bâtir des mondes en sable blanc, sans cesse détruits par le clapotis des vaguelettes, et sans cesse recommencés. C'est l'été indien, si doux à Saint-Tropez. Il fait beau, une brise légère empêche le soleil d'être trop mordant. Un peu plus loin, quelques hippies campent sur la dune, ambiance guitare, feu de camp et guirlandes de fleurs dans les cheveux. Mais ce n'est pas ce qui attire le regard du mari de la jeune femme venu chercher sa petite famille. Derrière les hippies, un peu en retrait, il aperçoit des bâtiments aux volets clos et des parasols repliés. Curieux, il s'approche. Derrière une pelouse verte, des cabanons entourent deux piscines d'un bleu profond. Il n'y a personne. L'endroit, trop grand pour une maison particulière, trop vide pour un établissement commercial, semble déserté. Tout est propre et rangé. Des tables, des chaises longues bien alignées témoignent qu'on a vécu ici, qu'on y a reçu du monde. Mais les piscines sont vides, la pelouse déserte et les transats inoccupés.

Depuis toujours, Wolfgang Mauch fait confiance à son flair, avec raison. La découverte de cette maison endormie sur la dune l'intrigue. « Allons-voir », dit-il à sa femme, Shahla. Côté route, vers la porte fermée de la propriété, des voitures de luxe alignées sous un auvent sont couvertes d'une fine couche de poussière blanche, donnant l'impression de ne plus avoir roulé depuis des mois. Wolfgang les admire avec envie et, de plus en plus intrigué, le jeune homme appuie sur la sonnette. Quelques minutes plus tard, le gardien les introduit dans le salon où les rejoint Debarge, grand, maigre, les oreilles saillantes sur son crâne chauve et le regard dissimulé par des lunettes aux verres fumés. Albert, que tout le monde évite depuis son arrestation, est étonné par la visite inattendue de ce jeune couple parlant un français teinté d'un fort accent allemand. Courtois, il fait asseoir ce géant blond athlétique vêtu d'un pantalon moulant bleu délavé qui souligne ses jambes immenses et sa femme, une jolie jeune fille brune au teint mat, au regard profond et aux longs cheveux ondulés, sexy dans sa tunique de coton rose décoloré. Il a beau se tenir en marge du monde, il situe immédiatement le couple parmi les jeunes à la pointe de la tendance de cette année-là à Saint-Tropez.

« J'ai entendu dire que la propriété était à vendre, est-ce bien le cas ? » demande Wolfgang de sa voix grave et timbrée après quelques minutes de conversation polie.

Debarge est d'abord surpris : jamais il n'a mis l'Épi en vente ! Mais il n'a pas perdu sa capacité de réagir rapidement, acquise dans les affaires. Il jauge le jeune homme en face de lui. Il admire son culot, sent sa détermination et sa capacité à foncer. Et puis la question le met face à lui-même : n'est-il pas temps ? En quelques instants sa décision est prise. Il annonce un prix. « Banco ! » dit Wolfgang. Les deux hommes se serrent la main. Je viens de changer de capitaine.

Si mes créateurs Debarge et Castel pouvaient se vanter d'un parcours riche, Wolfgang et Shahla Mauch, mes acquéreurs, ne sont pas en reste. Deux ans auparavant, ils avaient lancé Lothar's, une marque de prêt-à-porter qui connaît un succès foudroyant. En quelques mois ils ont ouvert des boutiques à Paris, New-York, Londres, Munich et bien sûr Saint-Tropez. Rien, pourtant, ne les prédestinait à cette carrière.

Wolfgang, originaire de Berlin, et Shahla, venue de Téhéran, se sont rencontrés au conservatoire de Hambourg en 1959, où ils étudiaient respectivement l'opéra et le piano. Elle aimait Chopin, il chantait Verdi de sa voix profonde de basse, et tous les deux s'accordaient sur le génie de Mozart. La vie d'étudiant les a finalement conduits à Paris, où Shahla avait obtenu une bourse au conservatoire de musique. Ils vivent rue Mouffetard, dans une chambre de bonne que remplit le piano à queue de Shahla, sous lequel ils glissent leur matelas pneumatique. En mai 1968, Wolfgang, qui sait flairer l'air du temps, filme les révoltés avec sa caméra Super 8. Mais la révolution, ce n'est pas pour eux. En dépit de leurs faibles moyens, ils apprécient le luxe, le raffinement et s'intéressent à la mode. Laissant les étudiants à leurs revendications, Wolfgang sacrifie ses maigres économies dans un aller-retour à Londres pour acheter un trench-coat Burberry. Cela lui donne des idées : avec les connexions iraniennes de Shahla, ils pourraient importer des soieries d'Iran qui sont tout à fait dans l'air du temps : Bardot en porte et tous les hippies en rêvent. Un premier lot expédié par la famille depuis

Téhéran se vend facilement, assez pour que Wolfgang voie plus loin.

Profitant d'un voyage dans la famille de Shahla, il apprend à conduire avec son beau-père, et le jeune couple bourre jusqu'au toit une Coccinelle de marchandises achetées dans les bazars d'Iran et d'Afghanistan : tissus, foulards, tuniques orientales, peaux, vestes en mouton retourné. Le retour à travers les petites routes est une aventure. Ils traversent l'Iran, la Turquie, la Bulgarie, la Grèce et enfin l'Italie pour atteindre la France. La route est longue, et Wolfgang, conducteur novice, a le temps de peaufiner son coup de volant. D'autant qu'il faut risquer la Coccinelle sur les petits chemins de traverse afin de contourner les postes de douane pour ne pas se faire confisquer la marchandise ou payer des dessous-de-table qui les ruineraient. Mais l'expédition est un succès. Grâce aux contacts de Lothar, le frère de Wolfgang, top model à succès, les vêtements s'écoulent jusqu'à Saint-Tropez, et notamment chez Jean Bouquin, le créateur de mode qui règne alors sur la presqu'île, habillant les Stones et drapant BB de jupes gitanes, de tuniques indiennes et de soieries.

Fort de leurs premiers succès, Shahla et Wolfgang décident de se consacrer à cette activité lucrative, mettant temporairement de côté la musique en se jurant d'y revenir un jour : après tout, du haut de leurs vingt-six et trente et un ans, ils ont le temps… Le jeune couple emprunte aux parents de Shahla et à Lothar de l'argent et son nom et ouvre une première boutique à trois niveaux passage Choiseul, juste à côté d'un jeune créateur inconnu, Kenzo. Très vite, Wolfgang sent qu'il faut aller plus loin. Aidé par deux mannequins amis de Lothar, Philippe Salvet et Paul Pallardy, il ouvre une boutique pour l'été 1970 à Saint-Tropez, entre la place de la Garonne et la place de Lices. Mais l'emplacement n'est pas très bon, et la jeune « start-up » de la mode ne décolle pas. Alors, Wolfgang décide de relocaliser Lothar's sur le port et achète un nouveau local à côté de l'Escale, première manifestation d'une stratégie d'emplacement qui restera la sienne toute sa vie.

Au même moment, à Paris, une styliste propose vainement à tous les créateurs le tissu bleu délavé des Touaregs, les « hommes bleus » du désert. Personne n'en veut jusqu'à ce qu'elle pousse la porte de Lothar's au passage Choiseul. Wolfgang est immédiatement convaincu par ce tissu, avec lequel il propose très vite une première ligne de chemises et de robes. Le succès est aussi violent qu'instantané. Les étagères se vident en quelques heures. Tandis qu'on tente de suivre la cadence, Wolfgang part pour la Mauritanie pour y apprendre les techniques de teinture et de fabrication. De retour à Paris, il achète des piscines gonflables au BHV, de l'indigo à ICI, du coton dans les Vosges et lance sa propre fabrication. Les ateliers sont installés près de Paris, dans une ferme appartenant à des amis hippies américains. Il recrute des étudiants auxquels il enseigne la technique de teinture effectuée dans de grands bacs remplis de pigments bleus, rouges et verts. Le tout est chiffonné puis mis à sécher sur l'herbe avant livraison au magasin. Les collections sont sexy. Les vêtements en coton d'Égypte collent tellement à la peau qu'il n'est pas rare de voir des jeunes femmes s'allonger pour fermer les boutons de leur jean délavé. Exotique et chic, la silhouette Lothar's est sensuelle et colorée.

À Saint-Tropez, la collection assez avant-gardiste ne démarre pas immédiatement. Alors, Wolfgang, Lothar et leurs trois collaborateurs mannequins s'habillent en Lothar's bleu et vont se montrer sur le port, sur la place des Lices ou sur la terrasse de Sénéquier. Les premiers regards sont moqueurs, mais en quelques jours la révolution s'opère et tout Saint-Tropez tombe pour Lothar's. Un beau matin, les hommes et les femmes bleus sont partout, créant l'un des premiers phénomènes de mode de masse. Les aficionados font la queue devant la boutique, si nombreux qu'il faut les faire pénétrer deux par deux. On recrute des vendeuses, choisies par Wolfgang, autant pour leurs qualités professionnelles que pour leur beauté et leur style. La collection propose des pantalons, des shorts, des longues robes et des chemises simples dans des tonalités bleu pâle, vert délavé, rose décoloré. Rien de plus sexy alors qu'une femme en Lothar's sur le port de Saint-Tropez. Les jeans sont des *must have*.

Un jour d'été 1971, Brigitte Bardot, fidèle adepte de la marque, entre dans la boutique et demande un pantalon délavé. Shahla est bien embêtée, elle n'a plus sa taille en stock.

— Combien faites-vous ? lui lance alors Brigitte.

— 38, répond Shahla.

— Moi aussi, vous me laissez le vôtre ? conclut BB, qui repart avec le vêtement.

Le jour où Wolfgang serre la main à Debarge, scellant l'avenir de l'Épi, Lothar's est donc en pleine ascension. L'ancien chanteur d'opéra qui tirait le diable par la queue est devenu un riche créateur d'entreprise qui va chaque soir récupérer des mallettes de cash dans les boutiques, d'autant que ses premiers associés – Lothar, Pallardy et Salvet – ont préféré se retirer. Wolfgang rachète les parts de son frère. Lothar, le playboy aux multiples conquêtes faisant la une des magazines et figure incontournable de Saint-Tropez, décide de changer de vie. Il quitte le microcosme tropézien et le monde de la mode pour se consacrer à ses vraies passions, l'alpinisme et la haute montagne. « C'est Wolfgang qui a fait Lothar's, dira Pallardy. À lui maintenant de "faire" l'Épi. »

11

1972-1977, les Mauch à la barre

Wolfgang et Shahla prennent officiellement possession de l'Épi en février 1972.

Debarge me quitte définitivement, une simple valise à la main, sans un regard pour ce qu'il laisse derrière lui. Il abandonne tout : les meubles, les tableaux, la carapace de tortue qui orne le salon, le billard français, les maquettes de bateaux, les *longboards* dans la piscine… Tout ce qu'il a accumulé en onze ans reste sur place. Je change de capitaine, mais pas d'apparence.

Très vite, ma pelouse, mes piscines et mon bar renaissent. Shalha et Wolfgang aiment recevoir. Je redeviens un tourbillon incessant d'amis, de relations d'affaires, de famille lointaine venue en visite. Chaque jour, un gigantesque buffet alimente tous les hôtes de passage. Et puis la boutique Lothar's de Saint-Tropez tourne à plein régime et j'héberge le personnel venu en renfort. On s'installe comme on peut, là où il y a de la place. Je me suis refait une virginité. L'ambiance est saine, conviviale, gaie, bien loin des dernières années Debarge. Mai 1968 est passé par là, et avec mes nouveaux propriétaires j'ai basculé dans une nouvelle époque, entrant de plain-pied dans les *seventies* hédonistes. Les hommes portent des favoris, les cheveux mi-longs et des chemises à fleurs, les femmes, des gros ceinturons et des tuniques exotiques, quand les uns ou les autres ne se promènent pas simplement nus jusqu'à la plage. L'état d'esprit est bohème, hippie avec style, mais tout comme au temps d'Albert, ni bourgeois, ni snob. Je suis à nouveau un endroit créatif où les idées fusent, notamment entre les Salvet, les Sainclair et autres entrepreneurs du prêt-à-porter qu'apprécient les Mauch et qui se retrouvent à l'Épi pour de longs après-midi de backgammon et de jeux autour de la piscine.

Des *photoshoots* s'improvisent devant le bungalow n° 2, où des mannequins sublimes aux seins nus posent avec les tuniques colorées Lothar's. Une top model qui passe parfois dans *Lui* et *Playboy* n'hésite pas à enfourcher, toute dévêtue, le *longboard* sur la piscine. La nudité n'est pas taboue à ce moment-là, elle est adoptée par la grande majorité des habitués.

Mais toute cette petite communauté a besoin d'une sorte d'animateur, comme il y en a toujours eu à l'Épi. Un jour de 1973, un jeune Canadien frappe à la porte. Il a entendu parler de cette famille à moitié iranienne et de leur marque, Lothar's. Bill est instructeur de ski pour les riches et les super-riches. Il a pour élèves Bardot, le roi Hussein de Jordanie, la famille royale de Grèce et surtout la famille royale Pahlavi de Perse. Il accompagne la famille du shah lorsqu'elle va skier en Iran, mais aussi à Méribel où Bill est basé. La princesse Fatemeh adore les vêtements Lothar's. Ils en viennent à parler de la cofondatrice iranienne de la marque et de cet endroit d'exception qu'elle possède, l'Épi Plage. Cette année-là, Bill est à la recherche d'une activité hors de la saison de ski. Alors, lorsqu'il sonne, en ce jour de juin 1973, Shahla le reçoit et le recrute comme professeur multisport, animateur pour les enfants Mauch et parfois leurs amis et leur famille. Très vite, Bill parvient à se rendre indispensable. Il apprend aux enfants à surfer sur les planches abandonnées par Debarge. Il leur enseigne le ski nautique, mettant au point un système pour les tirer d'un bout à l'autre de la piscine, puis taillant une barre de bois fixée au chriscraft pour leurs premiers pas en mer. Il scie des raquettes de tennis pour les adapter aux enfants, installe une machine à balles… J'ai trouvé mon nouveau GO !

Et puis Bill a un atout supplémentaire : c'est l'un des seuls à s'entendre avec Coco, le perroquet que Wolfgang a offert à Shahla pour ses trente ans. Un magnifique oiseau aux couleurs éclatantes qui terrorise mes hôtes avec ses cris perçants et son bec immense. Son perchoir est installé dans le bureau-salon, mais il se promène librement dans tout l'Épi, et même au-delà. Parfois, il prend maladroitement son envol et plane sur quelques kilomètres : une grande recherche s'engage alors pour le retrouver. Lothar, qui a réussi à lui apprendre quelques mots, le promène de temps en temps sur le port perché sur son épaule. Lorsqu'il voit passer de jolies filles, non sans un humour macho très *seventies*, il s'écrie : « Saaaalooоppee ! » Ça deviendra plus rare au fil des ans, même si ça le reprendra parfois, notamment devant Ivana Trump ou Eva Herzigová.

Avec l'arrivée de ce couple germano-iranien aux attaches françaises, je me suis ouverte sur le monde. Les représentants japonais de Lothar's prennent pension dans un bungalow une partie de l'été. Ils y croisent leurs homologues américains et suisses, la famille iranienne de Shahla, et allemande de Wolfgang. Mon jardin est une tour de Babel où résonnent des langues des cinq continents. Points communs à cette colonie hédoniste : le sport, les jeux, la gastronomie du chef de l'Épi et les magnums de rosé Ott qui arrosent les repas. Les Mauch aiment recevoir. Leur table est ouverte aux amis et aux amis d'amis. C'est ainsi que débarque le pilote de formule 1 Jean-Pierre Beltoise, ami des Sainclair. À sa suite, tout le gratin du sport automobile découvre l'Épi : François

Cevert, son beau-frère et enfin de fil en aiguille Jean-Pierre Jabouille, Jean-Pierre Jarier, Jean Todt, Jean Guichet, Didier Pironi et José Dolhem prennent chez moi leurs habitudes. Leur arrivée va bouleverser la vie de Wolfgang, et par ricochet la mienne.

Wolfgang est un homme de passion et de défis. Avec les moyens qui sont désormais les siens, il a pris l'habitude de laisser libre cours à la moindre de ses envies. L'avion le tentait ? Il a appris à piloter, avec Shahla, et s'est offert un bimoteur de manière à descendre à l'Épi le plus souvent possible, les parents au manche, les enfants derrière. Les voitures lui plaisent ? Une Porsche Targa jaune avait dès les premiers succès rejoint le garage, suivie par d'autres sportives, Ferrari ou Mercedes. Désormais, quelques années après avoir lancé Lothar's, il a besoin de s'engager dans un nouveau challenge et la fréquentation des stars du sport automobile lui ouvre des horizons inespérés.

Les habitués de l'Épi sont des as du circuit : Beltoise est engagé dans le championnat du monde de formule 1 par l'écurie BRM, tout comme Jabouille qui court pour Williams puis Tyrell, la même écurie que François Cevert, le « petit prince de la formule 1 », petit ami de Brigitte Bardot, qui se tuera en course en 1973. Mais ce n'est pas la course sur asphalte qui attise les discussions à l'Épi. Wolfgang a envie de grands espaces. Même s'il a appris à conduire tardivement, à vingt-huit ans, il a un don exceptionnel pour le pilotage développé sans doute sur les pistes iraniennes et sur la route de Paris à l'Épi, couplé à un goût pour la prise de risque maximale. Toujours à l'affût des nouveautés, Wolfgang entend parler en 1975 d'une nouvelle épreuve hors du commun qui tient autant du rallye que de l'aventure : rallier Abidjan à Nice à travers le désert. Persuadé de trouver là l'adrénaline qu'il cherche à chaque instant, il n'hésite pas. Comme Debarge avait pris à ses côtés le meilleur barreur, il embauche le meilleur copilote, Jean Todt. Todt n'est alors que « Jean-Jean », un habitué de l'Épi quasi inconnu, mais autour de la piscine, il avait marqué Wolfgang par sa prodigieuse capacité de calcul instantanée. L'intelligence aiguisée, la science froide et la volonté de fer de ce petit brun rondelet, couplée à l'engagement, à la fougue et à la passion du grand blond costaud : Jean-Jean et « Wolfito », voilà qui devait faire des étincelles, se disaient-ils !

Ainsi, à l'automne 1975, une Range Rover débarque dans le garage de l'Épi. Suspensions, éclairages, moteur, carrosserie, la voiture est méticuleusement préparée sous la surveillance de Jean-Jean qui ne laisse jamais rien au hasard. Pied au plancher sur les petites routes de l'arrière-pays et sur la plage, Wolfito se prépare aux pistes africaines et au Sahara. Et le 26 décembre 1975, ils prennent le départ à Abidjan, direction la Côte d'Azur, aux côtés de quatre-vingt-douze autres aventuriers, pour près de dix mille kilomètres d'une course infernale.

De retour à l'Épi fin janvier dans la Range Rover marquée par l'épreuve, Wolfgang exulte. La course a dépassé ses espérances. Il avait fallu attaquer sur des pistes défoncées dans la poussière et au milieu des piétons, des ânes et des taxis-brousses, supporter le froid glacial des nuits et la chaleur accablante des journées dans le désert, déjouer les pièges du sable, tracer sa route en plein Sahara et graisser la patte aux douaniers dont l'un, à la frontière du Niger et de l'Algérie, avait braqué sa Kalachnikov sur Jean-Jean, lequel avait eu moins peur pour sa vie que pour le chrono. Il y avait eu des moments de convivialité, comme ce bivouac à Arlit, où il avait offert cinquante cigares Davidoff Château-Margaux aux concurrents épuisés et débouché quelques bouteilles de rosé. Le lendemain, les cinquante barreaux de chaise étaient plantés autour des cendres du feu de camp, presque intacts, dressés comme des statuettes vaudoues. Malgré ces moments dignes de l'Épi, deux morts et un blessé grave parmi les pilotes étaient là pour prouver que cette première édition avait été un enfer. Mais Wolfgang avait eu l'adrénaline qu'il était venu chercher. Et une idée de génie qui allait lui permettre de continuer : sur le flanc du Range Rover, Lothar's s'inscrivait en grosses lettres orange, ouvrant la voie au sponsoring d'aventure.

Désormais, je deviens la base arrière des rallyes africains, le terrain d'essai de nombre de voitures préparées pour la piste : des R12 4 x 4 pour le rallye Abidjan-Nice 1976, des Peugeot 504 pour le rallye du Maroc et le rallye Bandama... Autour de la piscine, après d'interminables parties de backgammon, aussi dissemblables et inséparables que des Laurel et Hardy de la piste, Jean-Jean le calculateur et Wolfito le fonceur entourés de toute l'équipe qu'ils ont constituée élaborent des stratégies gagnantes et rêvent d'épopées et de victoires. Tour à tour pilote et chef d'équipe Wolfgang engage Lothar's dans toutes les aventures du rallye-raid, cette discipline encore balbutiante que le Paris-Dakar, créé en 1979, ne va pas tarder à populariser. Visionnaire, il est le premier à mettre de gros moyens dans ce sport encore très amateur. Il n'hésite pas à utiliser son avion personnel, un bimoteur Beechcraft Baron, voire à louer un DC3 pour acheminer le matériel d'assistance, ouvrant la voie à ce qui sera des années plus tard la norme dans les grosses écuries de rallye-raid. Les liens entre sport automobile, les vêtements Lothar's et Saint-Tropez fonctionnent à merveille. Cette façon de s'exposer, un peu aventure, un peu voyage, un peu performance donne de la puissance à la marque, dont le succès s'accroît encore.

Quand on ne parle pas mécanique en tirant sur un Hoyo des Dieux, un verre de Ott à la main, on continue de faire la fête, qui fait partie de mon ADN. Les bals masqués redeviennent tendance et Shahla lance des soirées à thème. Comme du temps de Castel, hommes et femmes jouent à inverser les rôles. On revit les années folles pour une soirée, on se déguise en pharaon ou en princesse égyptienne, on passe en boucle « I Feel Love » de Donna Summer, « La Vie en rose » de Grace Jones. À demi dissimulés par les masques et les déguisements, encouragés par la libération des mœurs de ces années 1970, quelques dérapages sont inévitables. La femme d'un responsable asiatique de Lothar's découvre la dune *by night* avec une *popstar* anglaise de passage, tandis qu'un producteur de films *underground* à l'identité sexuelle ambiguë déguisé en starlette 1925 drague les hommes masqués… Quant à Wolfgang, il apprécie de plus en plus les filles au physique de mannequin qui sont nombreuses chez moi. Masqué ou pas, il ne se montre guère discret malgré la présence de Shahla.

En 1977, sa passion pour le rallye franchit un nouveau pas lorsqu'il apprend que le mythique Londres-Sydney, couru une seule fois en 1968, va renaître de ses cendres. Wolfgang ne peut pas rater cette aventure extraordinaire et c'est cette fois une Mercedes 280 E, réputée pour sa fiabilité, qui se prépare à l'Épi pour affronter les trente mille kilomètres de l'épreuve. Jean-Jean indisponible, José Dolhem partage le volant avec

Wolfgang. Pilote de formule 2, habitué des 24 Heures du Mans, c'est aussi un fidèle de l'Épi, où il vient avec son demi-frère et cousin (ils avaient le même père et leurs mères étaient sœurs), Didier Pironi. L'équipage fait des merveilles. À Cairns, après six semaines de course, ils pointent à la première place. Plus que trois mille kilomètres avant le drapeau à damier, lorsqu'une casse mécanique les empêche d'aller plus loin. La victoire leur échappe… Wolfgang avait pourtant la voiture pour gagner : c'est une autre Mercedes 280 E, celle de l'écossais Andrew Cowan, qui leur volera la vedette.

Mais à son retour à l'Épi, fin septembre, ce sont d'autres préoccupations qui assaillent Wolfgang. À force d'avoir la trésorerie ouverte pour le rallye, Lothar's a du mal à faire face à la crise économique des années 1970. Les ouvriers se mettent en grève, lassés des excès de leur patron, qu'ils séquestrent même dans les ateliers de la marque en janvier 1978.

À deux doigts de déposer le bilan, Wolfgang doit trouver une solution, vite. Elle passera par une réinvention. Replié à l'Épi, inspiré par ses voyages-aventures, il imagine des tuniques et des tenues safari pour l'été qui relancent les ventes. Surtout, il emmène Lothar's là où on ne l'attend pas, avec une collection de blousons-duvets aux couleurs vives qui vont faire un malheur. Pour la première fois, ces vêtements jusqu'alors utilitaires deviennent tendance. Et pour la première fois le look tropézien se délocalise à la montagne. Wolfgang a gagné la partie.

Lothar's est sauvé. Je suis sauvée. Vais-je devoir aussi me réinventer ?

12

1978-1980, le bateau tangue

Il n'y a pas que les finances de Lothar's qui prennent l'eau à la fin des années 1970. Le couple Wolfgang/Shahla bat aussi de l'aile depuis que Wolfgang consacre toute son énergie aux rallyes et aux jolies filles. Ils vivent toujours ensemble à Neuilly, dans l'ancien hôtel particulier de Sarah Bernhardt acheté dès les premiers succès de Lothar's, mais ils ont désormais chacun leur fiancé, rencontré sur des *photoshoots* pour la marque.

Wolfgang sort avec une modèle photo au caractère bien trempé, Ève Corrigan, qui a réalisé plusieurs catalogues pour Lothar's. Shahla, quant à elle, a rencontré un mannequin argentin, Alexandre Diehl, une connaissance de Bob Zagury. Les deux mannequins sont présents ensemble à l'occasion des défilés de mode et des campagnes photographiques pour les catalogues.

À l'Épi, la situation devient parfois tendue quand les deux couples cohabitent pour les vacances d'été. Ève ne supporte pas les bonnes relations qu'entretiennent les Mauch et s'efforce de couper les ponts, allant jusqu'à exiger que les enfants du couple, Vesta et Frederic, passent l'été avec Wolfgang et elle, sans leur mère et son amant. Sachant que Shahla envisage d'emmener les enfants en voyage aux États-Unis, Wolfgang confisque les passeports, qu'il cache dans le coffre de sa chambre. Vesta, du haut de ses onze ans est chargée de s'infiltrer dans la chambre de son père pour récupérer les documents. Elle se glisse dans la « chambre des minettes », passe discrètement dans les appartements de Wolfgang tandis qu'il déjeune sur la terrasse, trouve la clé, ouvre le coffre et prend les pièces d'identité – son passe pour rejoindre les États-Unis et surtout Disneyworld. Shahla, Alexandre et les enfants quittent alors brusquement l'Épi, direction l'aéroport et les Amériques.

Ce fait d'armes n'apaise pas les relations entre Shahla et Wolfgang et, très vite, on parle de divorce et de me vendre…

Pour ne rien arranger, j'ai été victime d'une mésaventure qui change un peu ma physionomie. Deux joueurs d'une modeste équipe de football est-allemande en déplacement dans la région ont profité du voyage pour déserter l'équipe et leur pays verrouillé derrière le rideau de fer soviétique. La nouvelle fait le tour de la presse et la question de l'avenir et de l'intégration des deux athlètes se pose. Wolfgang décide alors de se montrer solidaire envers ses compatriotes et les engage comme gardiens de l'Épi pour l'hiver. En quelques jours, les voilà installés dans la petite maison de pierre des gardiens, face au parking. Quelques mois plus tard, en plein hiver, Shahla et Wolfgang reçoivent un coup de fil d'un ami tropézien, étonné de voir des meubles de l'Épi en vente publique. Ils tombent des nues. Wolfgang avertit la police et saute dans son avion. Mais le mal est fait. La quasi-totalité des objets et des meubles accumulés au fil des ans par Debarge puis par les Mauch se sont volatilisés. Des pièces uniques ont été vendues une bouchée de pain à des acheteurs certes innocents, mais opportunistes. Les deux footballeurs ont été arrêtés peu après, mais les biens pillés n'ont jamais été restitués. Avec la disparition de l'essentiel du mobilier, la page Debarge est définitivement tournée.

Wolfgang n'est pas un homme qui lâche facilement, et plutôt que de se séparer de l'Épi aux premières difficultés, il préfère voir grand.

Pour l'été 1979, il décide de me rendre à ma vocation première, celle d'un lieu d'accueil exclusif, festif et convivial. Comme d'habitude, il cherche les meilleurs pour mener à bien l'opération. Et le numéro un, à Saint-Tropez, s'appelle alors Nano. Cette figure du milieu de la nuit parisienne, ami de Joséphine Baker et de Michou, s'est installée dans la presqu'île deux ans auparavant, et en l'espace de deux saisons, tout le monde connaît Nano et Nano connaît tout le monde. La présence de Joséphine Baker a beaucoup contribué au succès éclair du restaurant et du bar de Nano, qui règne sur Saint-Tropez. Archibondés tous les soirs, ces lieux rayonnent autant par leur ambiance festive que par le melting-pot des clients qu'il parvient à réunir. Bourgeois, entrepreneurs du Sentier, milliardaires, simples touristes, stars, artistes, tous se retrouvent le soir venu pour jouir de ce qui reste encore du véritable esprit tropézien. On croise chez lui toutes les célébrités de la presqu'île : Brigitte Bardot évidemment, mais aussi Johnny, Elton John, Aznavour, Joan Collins, Charlotte Rampling, Dalida ou encore Amanda Lear. Wolfgang et Nano signent donc pour une saison : Nano prend en charge le restaurant, Georgie, un ami de Wolfgang, s'occupe de la location des bungalows et Biscotte, autre personnage de la presqu'île et de la mode, est responsable des transats, des matelas et de la piscine.

Le succès est immédiat. Quinze ans après, je retrouve ma splendeur de l'époque Castel. Les

Johnny, BB et autres vedettes qui me fréquentaient autrefois prennent à nouveau le chemin de ma dune. Le restaurant fait le plein tous les jours, les bungalows ne désemplissent pas, au grand désespoir de Frederic et Vesta, les deux enfants de Wolfgang et Shahla, relégués dans des cabanons en arrière des bâtiments. On organise des fêtes et des happenings. Le piano à queue Steinway & Sons de Shahla est tiré sur la pelouse. Elton John, tout juste sorti de la piscine, lunettes violettes psychédéliques sur le nez et casquette sur la tête, se lance dans un concert improvisé, en commençant par son titre, « Song for Guy ». La foule reprend en chœur. Assis au pied du piano, Frederic n'en perd pas une miette.

Au barbecue, les langoustes et les côtes de bœuf se remettent à défiler. Le rosé coule à flots et on fume des puros cubains autour d'une table de backgammon ou de la grande table accueillant jusqu'à trente-cinq invités. Comme depuis ma naissance, on prend les paris les plus fous : chrono Épi Plage / Saint-Tropez / Genève / Épi Plage en moins de trois heures trente. Courses-poursuites sur les petites routes menant au Muy ou à Gassin.

Parmi les têtes brûlées de l'Épi, on retrouve Didier Pironi, la star de la F1, qui est devenu un proche de Wolfgang. Les deux hommes s'apprécient et aiment se lancer des défis. Un jour de début septembre, un vent d'est souffle sur la baie de Pampelonne. Les petites vagues se transforment progressivement en une houle menaçante et chaotique. Les moutons tapissent la baie et les bateaux ont tous regagné leur abri. Wolfgang s'est offert un jet-ski Kawasaki, le premier de la côte. Pironi le met au défi de rejoindre le port de Saint-Tropez avec sa moto des mers dans ces conditions épouvantables. Wolfgang ne se fait pas prier, on tape dans la main, vingt langoustes constituent la mise. Les amis tentent de dissuader Wolfgang, mais rien à faire, il est décidé.

La mise à l'eau est douloureuse, le jet-ski cognant plusieurs fois son pilote. Il parvient néanmoins à se dégager du bord de mer et le voilà parti dans cette grande traversée insensée. Il disparaît entre les murs de vagues, puis réapparaît sur une crête. Il entend couper à l'intérieur de l'îlot pointant à l'est de la baie, non loin de la statue de Brigitte Bardot. Mais il perd le contrôle de la moto des mers et, alors que cette dernière va se fracasser sur des brisants, il tente tant bien que mal de sauver sa machine. Les rochers lui déchirent le ventre et les jambes. Le jet-ski lui ouvre le front au-dessus des sourcils. Il est trop tard pour faire machine arrière en ma direction ; il finit par passer le cap et se retrouve dans la baie de la Bouillabaisse. Son arrivée au port est triomphale, les clients de Sénéquier, du Gorille et du Café de Paris acclament le géant blanc de sel et rouge de sang. Une semaine plus tard, les vingt langoustes grillent sur mon barbecue.

L'association Nano-Wolfgang est un succès. Je suis redevenue l'endroit où il faut être, celui où s'organisent les plus belles fêtes, où l'on s'amuse le mieux, où l'on croise les plus jolies filles et les garçons les plus intrépides. Pourtant, Wolfgang n'est pas satisfait. Ses problèmes de couple ne s'arrangent pas et surtout, comme Debarge en son temps, il n'accepte pas de ne plus être complètement maître chez lui. Il sent l'Épi échapper à son contrôle. Alors, malgré le succès, il ne renouvelle pas l'expérience. Nano ne s'occupera pas de moi l'année prochaine…

13

1981-2018 Navigation en eaux calmes

L'équilibre trouvé tant bien que mal entre les Mauch et leurs amants respectifs finit par se rompre. Sur le point de divorcer, Wolfgang propose de me vendre. Un agent proche de BB vient avec un client qui met trois millions de francs sur la table. Tentant pour Wolfgang… Pas pour Shahla qui met son veto. Hors de question de quitter cet endroit qu'elle aime tant. « Alors ce sera à toi de te porter responsable de l'Épi Plage », lui lance son mari. La répartition des biens lors du divorce officialise cette décision : Wolfgang conserve Lothar's et Shahla devient mon unique propriétaire.

Voilà donc Shahla à la tête d'une magnifique propriété… Et sans aucune ressource puisque Wolfgang a gardé Lothar's. Je suis un problème et je serai aussi la solution, m'ouvrant à nouveau vers l'extérieur, cette fois sous la forme d'un hôtel-restaurant. Les premiers temps sont difficiles, et Frederic, le fils de Shahla, se souvient encore qu'on coupait le moteur de la voiture dans les descentes pour économiser un peu d'essence. Shahla et Alexandre n'ont aucune expérience en matière d'hôtellerie. La première saison est improvisée et le succès n'est pas au rendez-vous. Sans tête d'affiche, alors que les concurrents sont bien établis, j'accueille peu de clients.

Mais progressivement, mon charme opère. Dans ces années 1980, la plage de Ramatuelle vit un changement d'ère, voyant débarquer des cohortes de nouveaux riches, *rock stars* et rappeurs américains, producteurs de télévision ou publicitaires. À La Voile Rouge ou sur les plages à la mode, on joue à s'arroser avec des mathusalems de Dom Pérignon à plusieurs milliers de francs. C'est le début du bling-bling, de l'argent-roi, de l'exhibition indécente. Au milieu des plages tapageuses qui colonisent peu à peu la baie, mon côté intimiste fait recette. D'autant qu'Alexandre, d'origine argentine, a décidé de lancer des asados sur mon barbecue géant hérité de l'époque Castel. La formule cartonne. On déguste des grillades en écoutant des guitaristes brésiliens jouer *live*. Le soir, ce sont les Gipsy Kings qui donnent un concert intimiste ou des musiciens créoles. Cette ambiance décalée fait revenir mes vieux complices, Johnny, France Gall, Jean-Claude Brialy, Eddy Mitchel,

Régine. D'autres arrivent : Kenzo que Shahla avait connu passage Choiseul et qui choisit l'Épi pour son défilé « Collection jeans » ouvert par Frederic sur son cheval pinto, Texas. Michel Berger, qui joue sur le Steinway & Sons, tape la balle sur le court numéro 2, et passera chez moi ses derniers moments avant sa crise cardiaque en 1992. Eva Herzigova, qui trouve un peu de calme entre deux défilés. Sylvester Stallone, qui, après un dîner chez moi, invite tout l'Épi aux Caves du Roy. Ou encore Madonna à qui j'offre un havre de tranquillité après son concert de Nice du *Who's that girl tour*, le 31 août 1987.

L'ambiance conviviale de l'Épi, la tranquillité assurée de mes hôtes sont mes plus beaux atouts. Aucun paparazzi n'a jamais traîné ses objectifs autour de la piscine. Stars du cinéma ou de la chanson, champions de foot qui viennent à l'Épi cacher leurs maîtresses, ou anonymes en quête de calme, chacun vit ici selon ses envies, comme dans une maison d'hôtes exclusive. L'atmosphère est familiale. Au milieu des clients déambulent les enfants, Coco le perroquet, les deux Saint-Bernard de la famille et Texas, le double poney que Wolfgang a offert à Frederic pour ses neuf ans. Comme un animal domestique, ce pinto bai tout droit sorti d'un western passe ses journées sur la pelouse au milieu des hôtes, attendant que Frederic l'enfourche à cru et parte sur la plage au triple galop au milieu des bronzés et des nudistes pour aller acheter des cigares à son père au Club 55. Wolfgang, qui continue de venir à l'Épi, a parié avec ses amis qu'il aurait ses Cohiba en moins de vingt minutes. Pari tenu…

En 1989, pourtant, le calme est rompu. Cet été-là, Shahla accepte de renouer avec les débuts de l'Épi Plage et d'en faire un lieu plus festif. Elle signe pour une nouvelle saison avec l'incontournable Nano, dix ans après sa première collaboration avec moi. Pour le lancement, on organise un cocktail fabuleux au *dress code white & chic* où l'on retrouve tout ce que Saint-Tropez connaît d'artistes, d'entrepreneurs de la fête et de personnalités, dont Eddie Barclay qui glisse à Nano non sans sympathie : « Alors, tu veux prendre ma place ? » Un orchestre jazz joue à plein régime, progressivement accompagné d'un DJ qui ajoute un *beat* et du synthé, embarquant les invités dans son rythme toujours plus puissant, répétitif et enchanteur. Et soudain, alors que la fête bat son plein, deux hélicoptères survolent l'Épi et larguent des fleurs blanches qui viennent comme neige tomber sur la foule d'invités en extase.

Cet été 1989, raconte Aaron Latham dans le *New York Times*, les soirées commencent chez l'incontournable Nano. Clairement pas la meilleure gastronomie tropézienne, mais l'endroit où l'on s'éclate le plus.

On y croise Cher, Elton John, toujours fidèle, et George Michael, en pleine gloire. Plus tard dans la soirée, c'est Boy George qui débarque puis Joan Collins. Parmi les habitués, on compte aussi Amanda Lear, Pascal Nègre, P-DG d'Universal Music, Jean-Claude Camus, producteur de Johnny. Après le dîner et les verres qui se succèdent dans le bar feutré dont les murs sont couverts de photos de stars prises dans l'établissement ainsi que de vieilles photos du jeune Nano, enfant, l'équipée nocturne se poursuit. À minuit, la soirée continue à l'Hysteria, un bar aux couleurs vives et avec un tableau des Hell's Angels en toile de fond. Elton John se lance spontanément pour une performance imprévue de quarante minutes.

À une heure, tout le monde rejoint les Caves du Roy, la boîte la plus célèbre de Saint-Tropez, plutôt chic kitsch. Le style est babylonien avec notamment ces colonnes et ces statues qui ne sont pas sans rappeler Las Vegas. Puis, vers 3 heures, le rythme change. Tous les noctambules encore présents se dirigent vers Le Bal, boîte avant-gardiste house music à l'ambiance très *underground*. Le Bal est une grande pièce aux murs carrelés en blanc, comme une salle de bains industrielle ou bien un couloir de métro. La faune y est hétéroclite : toujours plus de jeunes avides de musique électronique, dont les enfants de l'Épi, Frederic, Vesta et Nima, accompagnés de leurs amis.

Des créateurs de mode et des mannequins se bousculent à l'entrée, espérant passer le casting du videur.

Au petit matin, certains noctambules vont directement rejoindre les plages pour un sommeil éveillé et ensoleillé. Mais la bande à Nano se retrouve chez moi, à l'Épi. Cette faune nocturne se mélange miraculeusement bien avec les autres convives plutôt famille et sport. Viennent s'ajouter à ces deux communautés les fortunés, les célébrités et certains top models qui ont repéré le nouveau lieu branché que je suis redevenue. De nouveau, les bateaux et les petits yachts s'amarrent devant l'Épi. Le restaurant affiche plusieurs centaines de couverts et la pelouse africaine est tapissée de transats.

La jeune génération maison tente d'apporter un nouveau souffle en accord avec ce style émergeant. Étudiant, en job d'été, autour de la piscine, Frederic s'occupe des matelas, du bar et de l'ambiance. La house music fait son apparition et cela fonctionne. Frederic passe les *tracks* tout droit venus de Londres, Ibiza, Chicago et Paris : Lil Louis avec « French Kiss », S'Express, « Good Life » d'Inner City, « Pump up the Jam » ou encore « Can you Feel it » de Mr Fingers. L'ambiance festive reprend et les trois communautés se rassemblent dans la fête insouciante.

Jumelée au Bal, avec Nano en maître de cérémonie et accompagné par la nouvelle génération, je redeviens en cet été 1989 un melting-pot avant-gardiste et alternatif. Mais l'aventure ne durera qu'une saison. Shahla et Alexandre ne partagent pas ce nouvel engouement, ils souhaitent reprendre mes rênes et me faire retrouver l'ambiance famille qu'ils apprécient. Frederic et Nima jettent l'éponge et partent s'installer à New York et à Boston. Nano quitte l'Épi pour se recentrer sur Saint-Tropez. Un nouveau sursaut alternatif se produira chez moi dans la deuxième partie des années 1990 avec la venue de DJ berlinois électros accompagnés d'artistes peintres russes, ukrainiens et iraniens ; le tout orchestré par Vesta et son regroupement, Rebell Minds.

1989 n'aura donc été qu'une parenthèse, une de plus dans mon existence. Mais je n'étais pas faite pour ressembler aux autres plages. Depuis ma naissance, j'ai toujours été modelée à l'image de mon propriétaire, et c'est aujourd'hui Shahla. Elle a remplacé les meubles volés dix ans auparavant en accumulant des objets qu'elle aime. Comme ses goûts sont plutôt éclectiques, cela donne des mélanges uniques, à l'image de son bureau où on trouve peaux de chèvre et chaises en corne, où des tableaux russes côtoient un portrait du Che, une toile de Leonor Fini et un bas-relief représentant un faravahar, le symbole zoroastrien qui guide les êtres humains vers le bonheur. Les bungalows répondent au même style éclectique : je suis loin des hôtels « marketés » par des décorateurs professionnels. Mais ma sincérité fait ma force. Cette ambiance anticonformiste et ethnochic avant la mode plaît. Les clients reviennent, triés sur le volet par Shahla qui veille jalousement sur sa clientèle et sur le calme de ma dune.

Enfin… Sauf les jours où Wolfgang décide de débarquer. Amateur comme toujours de gros jouets, c'est en hélicoptère qu'il se pose sur la pelouse, faisant voler les serviettes et les parasols. Son goût immodéré pour les excès le mènera à sa fin.

En 1993, à cinquante-cinq ans, au volant de sa Ferrari F40 – une véritable F1 de route – il percute une rambarde sur l'autoroute en direction de l'aéroport Charles-de-Gaulle. Il est projeté à trente mètres au travers du pare-brise. Le sang rouge Ferrari se répand sur la chaussée. Il mourra deux heures plus tard. Sa passagère, maître Fagenbaum, tombe dans le coma, mais s'en sortira. Jean Todt, brouillé avec Wolfgang depuis quelques années, dirige alors la Scuderia Ferrari. Les tentatives d'enquête sur le véhicule qui auraient pu permettre de déceler une défaillance technique – d'ailleurs soupçonnées dans plusieurs accidents avec ce modèle – sont abandonnées. La carcasse de l'engin finit par être détruite. Le mystère reste intact.

À la fin des années 1990, le bling-bling n'a jamais été aussi présent. En 1998, le Nikki Beach ouvre la première *pool party*, juste en face de chez moi. La fête et la plage s'industrialisent avec un son puissant, commercial, celui que l'on retrouve dans les boutiques, avec un même objectif : pousser à la consommation. Devant le succès, d'autres plages suivent le mouvement et progressivement le vacarme s'impose. Tour à tour, Les Palmiers, Coco Beach, Bagatelle, Shellona remplacent le style tropézien par des concepts plus formatés importés de Miami ou de Las Vegas. Sous les basses poussées à fond de cette musique électro commerciale, les clients s'entassent dans les piscines pour boire et danser toute la journée.

Ce n'est pas mon style. Au contraire, face à cette avalanche de décibels, Shahla fait plus que jamais de moi un refuge. Je suis en décalage avec le reste de la plage de Pampelonne, comme je l'ai toujours été depuis ma naissance, fidèle à ma propre personnalité et jamais clone des mouvements éphémères de la mode. Dans mon oasis protégée du monde, Shahla accueille des danseurs soufis, qui tournent interminablement sur ma pelouse. Elle propose des soirées iraniennes, des cours de cuisine persane, des initiations au tango, invite des danseurs de folklore tzigane. Alors qu'ailleurs on s'assomme à la vodka, l'Épi propose des tisanes bios de Maurice Mességué, le pionnier de la phytothérapie française, qui donne régulièrement des conférences chez moi.

Tandis que le son d'enceintes toujours plus puissantes envahit la plage, j'accueille le premier concert du festival lyrique des Lices, initié par Shahla. Chaque année, sur ma pelouse, le pianiste Yves Henry joue du Chopin pendant que Brigitte Fossey lit la correspondance entre le compositeur et George Sand. Bertrand Pierre fait des lectures des poèmes de Victor Hugo. On donne sur la plage *Le Barbier de Séville*, l'opéra de Rossini, puis la *Tosca* de Puccini, avec le ténor italo-brésilien Thiago Arancam, la soprano italienne Norma Fantini et le baryton Alberto Gazale, sous la présidence d'Olivier Bellamy. Les chanteurs et les musiciens séjournent à l'Épi, deviennent des proches. J'accueille aussi les artistes du festival de Ramatuelle, qui trouvent chez moi un calme salutaire.

La cohabitation entre le havre de paix lyrique que je suis devenue et le puissant son commercial de mes voisines devient impossible. Lorsque la diplomatie ne fonctionne plus, il est temps de partir en lutte contre ces établissements qui m'étouffent.

Après des années de combat, à la surprise générale, j'obtiens gain de cause. Tour à tour, Nikki Beach, Les Palmiers, Bagatelle se voient imposer un niveau maximum de décibels, au grand bénéfice de mes hôtes mais également des nombreux habitants de ce coin de Pampelonne ainsi que des visiteurs.

Ce n'est pas le seul combat judiciaire que j'aurai à mener dans ces années-là. Un jour de printemps 2001, Blandine, une fidèle cliente de l'Épi Plage appelle Shahla et lui demande si elle a vendu. Shahla surprise lui répond que non et cherche à savoir pourquoi… « Chez Vuitton, à Cannes, il y a toute une collection d'accessoires, dont des sacs de plage présentés sous le nom d'Épi Plage », lui répond Blandine. L'empire du luxe tentait de s'approprier mon histoire et ma notoriété… Le dossier est remis entre les mains de maître Fagenbaum, l'avocat de Lothar's, rescapée de l'accident de F40 qui avait coûté la vie à Wolfgang. Dans un premier temps, Louis Vuitton ignore cette légitime revendication, mais l'affaire qui est aussi une histoire d'honneur et de respect se termine au tribunal. L'Épi Plage gagne contre Louis Vuitton en 2004, et de nouveau en appel deux ans plus tard. Les sacs et accessoires Épi Plage diffusés dans le monde entier sont retirés du marché. Je préserve ainsi mon nom des convoitises des plus grands, d'un empire.

On me croyait *has been* ? J'étais juste en avance. La première sur la presqu'île, j'ai installé des panneaux solaires, dix ans avant que tout le monde s'y mette. Sous l'impulsion de Frederic, le tri organique et l'élimination des plastiques sont devenus une réalité. Depuis 2012, j'organise deux opérations annuelles de sensibilisation et de nettoyage des plages avec les enfants des écoles. Le label Clef Verte salue mon engagement durable.

Sur les plages les machines à décibels ont fini par s'essouffler. Les Tropéziens comme les touristes se sont aperçus qu'ils souhaitaient autre chose que la musique de boutique ou la promotion de voitures sur le sable entre deux transats. Depuis 2016, ce changement de cap est accentué par la politique d'aménagements de Pampelonne. Plusieurs plages disparaissent et Pampelonne retrouve un peu de sa splendeur et de sa pureté des années 1960.

Quant à moi, je renais de mes cendres. Ma nouvelle propriétaire, la famille McCourt, est américaine. De nouveau, le titre de *Paris Match* du 13 août 1960 peut résonner : « Saint-Trop' est fini : Épi Plage le remplace ». Ou plutôt, je montre une fois encore la voie pour dessiner l'avenir de la presqu'île dans les décennies à venir.

« La mode se démode, le style jamais », disait Coco Chanel. Voilà qui s'applique parfaitement à moi.

La playlist de l'Épi Plage

« Épi Blues », Sacha Distel (1959)
« Amour de Saint-Tropez », Henri Salvador (1959)
« Épi Plage Cha-Cha », Pepe Zapatta (1960)
« Twist à Saint-Tropez », Les Chats Sauvages (1961)
« Good for Twist », *Twist à l'Épi Club*, Pappy Pad (1962)
« I've Got It », *Twist à l'Épi Club*, Pappy Pad (1962)
« Nue au soleil », Brigitte Bardot (1963)
« Tu veux ou tu veux pas », Brigitte Bardot (1963)
« Ne me laisse pas l'aimer », Brigitte Bardot (1964)
« Laisse tomber les filles », France Gall (1964)
« J'aime les filles », Jacques Dutronc (1967)
« Sous le soleil exactement », Anna Karina (1967)
« We Did It Again », Soft Machine (1968)
« La Madrague », Brigitte Bardot (1968)
« Harley Davidson », Brigitte Bardot (1968)
« Allez donc vous faire bronzer », Sacha Distel (1968)
« Bonnie and Clyde », Brigitte Bardot (1968)

ÉPI PLAGE

Rock St. Trop, Philippe Debarge and The Pretty Things (1969/2017)
« San Tropez », Pink Floyd (1971)
« Sud Express », Nino Ferrer (texte de Philippe Debarge) (1971)
« I Feel Love », Donna Summer (1977)
« La Vie en rose », Grace Jones (1977)
« Song for Guy », Elton John (1978)
« Can you Feel it », Mr Fingers (1988)
« Pump up the Jam », Technotronic (1989)
« French Kiss », Lil Louis (1989)

REMERCIEMENTS

Bob Zagury
Nelly Suchodolsky
Olivier Chartier
Annie Perez
Olivia Mauch
Shahla Mauch Deyhim
Henri Julien
Florence Lottin
Olivier Debarge
Olivia Debarge
Thierry Debarge
Didier Poulmaire
Wally Waller
Nano
Tim Page
Brigitte Laaf
Christine Haas
Famille Aponte

ÉPI PLAGE

Jean-Pierre Guenoun
Roya Nasser
Sabine Bouvet
Alexandre Diehl
Lothar Mauch
Eric Tognoli
Alexis Capparis
Ronald Reznik
Xavier Legrand

Cet ouvrage a été mis en page par IGS-CP
à L'Isle-d'Espagnac (16)